Reading & Interpretation

大家写小书·马恩经典著作新读

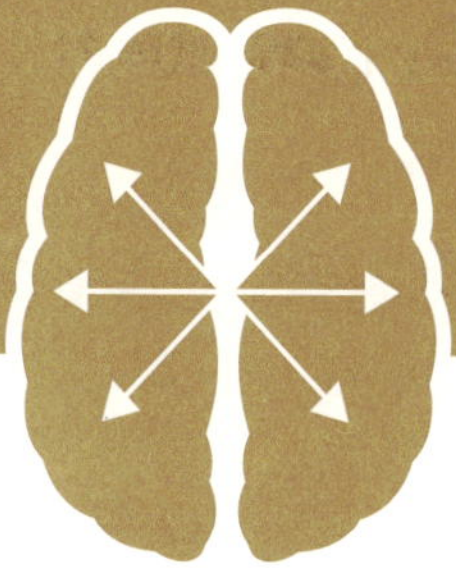

丛书主编 顾保国

工人阶级的圣经

《资本论》新读

崔友平 著

红旗出版社

红旗出版社
HONGQI PRESS
推动进步的力量

图书在版编目(CIP)数据

工人阶级的圣经：《资本论》新读 / 崔友平著. —北京：红旗出版社, 2020.1（2021.4重印）
（大家写小书 / 顾保国主编. 马恩经典著作新读）
ISBN 978-7-5051-5040-9

Ⅰ.①工… Ⅱ.①崔… Ⅲ.①《资本论》-马克思著作研究 Ⅳ.①A811.23

中国版本图书馆CIP数据核字(2019)第263694号

书　　名　工人阶级的圣经
　　　　　《资本论》新读
著　　者　崔友平

责任编辑　吴琴峰　　　　丛书统筹　丁　鋆
责任印务　金　硕　　　　特约编审　希　言
装帧设计　戴　影
出版发行　红旗出版社
地　　址　北京市沙滩北街2号　　邮政编码　100727
　　　　　杭州市体育场路178号　邮政编码　310039
编 辑 部　0571-85310467
E - mail　359489398@qq.com　　发 行 部　0571-85311330
图文排版　杭州兴邦电子印务有限公司
印　　刷　浙江全能工艺美术印刷有限公司
开　　本　889毫米×1194毫米　1/32
字　　数　95千字　　　　印　　张　4.25
版　　次　2020年4月第1版　　印　　次　2021年4月第3次印刷
ISBN 978-7-5051-5040-9　　定　　价　20.00元

从经典著作中汲取斗争智慧

（丛书序）

习近平总书记在2019年秋季学期中央党校（国家行政学院）中青年干部培训班开班式上发表重要讲话时指出，“斗争精神、斗争本领，不是与生俱来的。领导干部要经受严格的思想淬炼、政治历练、实践锻炼，在复杂严峻的斗争中经风雨、见世面、壮筋骨，真正锻炼成为烈火真金。要学懂弄通做实党的创新理论，掌握马克思主义立场观点方法，夯实敢于斗争、善于斗争的思想根基，理论上清醒，政治上才能坚定，斗争起来才有底气、才有力量”。

经典著作体现了马克思主义立场观点方法，不仅包含着明确的问题意识、经典的分析方法，而且包含着斗争精神。这种斗争精神既体现了事物本身的复杂性，也体现了人类智慧的深刻性。虽然马克思主义诞生在一个半世纪之前，但迄今依然有着强大的生命力，被历史和现实一再证明是科学的理论，这其中一个重要原因就在于其科学的理论思维和强大的斗争精神。马克思主义经典著作是经典作家探索真理的丰富思想结晶，彰显了马克思主义经典作家坚定的政治立场、政治信仰和献身共产主义事业的政治品格和伟大的斗争精神。习近平总书记在纪念马克思诞辰200周年大会上的讲话中指出：“共产党人要把读马克思主义经典、悟马克思主义原理当作一种生活习惯、当作一种精神追求，用经典涵养正气、淬炼思想、升华境界、指导实践。”这就要求我们，提高学习马克思主义理论的能力，学思践悟，做马克思主义的信奉者、继承者、实践者和发展者。当严峻形势和斗争任务摆在面前时，骨头要硬，要敢于出击，敢战能胜。

近年来，马克思主义经典阅读热潮悄然兴起，再次凸显马克思主义经典著作编译的重要意义和时代价值。习近平总书记在中央政治局第五次集体学习时指出：“要深化经典著作研究阐释，推进经典著作宣传普及，让理论为亿万人民所了解所接受，画出最大的思想同心圆。”准确理解习近平总书记这一重要论述，需要我们深刻把握研究、阐释经典著作的时代要求，进一步加强经典著作宣传普及，使广大人民群众更深刻地感悟马克思主义的真理力量和斗争精神。

恩格斯曾说：“一个民族要想站在科学的最高峰，就一刻也不能没有理论思维。”理论思维能力不是天生的，而是后天培养和训练出来的。马克思主义经典著作是人类思想的精华，它深刻揭示了自然界、人类社会、人类思维发展的普遍规律。习近平总书记在2011年中央党校春季学期第二批入学学员开学典礼上强调，“阅读经典著作，本身就是增长知识、开阔眼界、增加思想深度和训练思维方式的过程，就是培养高瞻远瞩的战略洞察力和脚踏实地的工作作风的过程”。广大党员干部要提高斗争能力，必须高度重视通过学习马克思主义经典著作来提高自己的理论思维能力。

当今世界正处于百年未有之大变局，我们党领导的伟大斗争、伟大工程、伟大事业、伟大梦想正在如火如荼地进行，改革发展稳定任务艰巨繁重，我们面临着难得的历史机遇，也面临着一系列重大风险考验。各级领导干部要想在这些风险、困难和挑战面前赢得优势、赢得主动、赢得未来，就必须坚定马克思主义信仰和共产主义理想，不断提高运用马克思主义分析和解决实际问题的能力，不断提高运用科学理论指导我们应对重大挑战、抵御重大风险、克服重大阻力、化解重大矛盾、解决重大问题的能力，以更宽广的视野、更长远的眼光来思考把握未来发展面临的一系列重大问题，这就迫切要求领导干部自觉增强学习和运用马克思主义的本领，掌握马克思主义的斗争精神。广大党员干部特别是领导干部要学好用好《共产党宣言》等马克思主义经典著作，坚持学以致用、用以促学，原原本本学，熟读精思、学深悟透，熟练掌握马克思主义立场观点方法，不断提高马克思主义理论素养。因此，我们要系统掌握和努力实践马克思主义理论，真正把马克思主义这个看家本领学精悟透运用好，提升自己的斗争能力，并推动马克思主义不断发展。

提高把思想理论转化为实践的斗争能力，画出最大的思想同心圆，是坚持和发展马克思主义的现实要求，也是实现中华民族伟大复兴这一中国梦的思想基础。马克思主义经典著作卷帙浩繁，对于广大干部、群众来说，学习要突出重点。我们提倡读马列经典著作，并不是一定要求每位干部去全面读《马克思恩格斯全集》《列宁全集》或《马克思恩格斯文集》《列宁专题文集》。学马列要精，要管用。“精”，是指要读经典著作，经典篇目；“管用”，就是要结合具体、实际工作，有针对性、有目的地学以致用。例如，从总体上把握马克思主义，需要读

《马克思主义的三个来源和三个组成部分》;掌握无产阶级的革命理论,要读《共产党宣言》;了解马克思主义哲学世界观,要读《哲学笔记》《唯物主义和经验批判主义》《反杜林论》《路德维希·费尔巴哈和德国古典哲学的终结》;掌握马克思主义政治经济学,要读《政治经济学批判》《资本论》等。因此,我们第一辑选择了十本原著,组织国内有关院校的权威专家撰写导读,并由红旗出版社公开出版这批学习马克思主义经典著作的权威性辅导教材。

马克思主义是认识世界、改造世界的强大思想武器。在人类思想史上,没有一种思想理论像马克思主义那样对人类产生了如此广泛而深远的影响。原原本本学习和研读马克思主义经典著作,不断深化对共产党执政规律、社会主义建设规律、人类社会发展规律的认识,不断提升思想水平和斗争能力,真正把马克思主义这个看家本领学精悟透运用好,我们就能更有定力、更有自信、更有智慧,在习近平新时代中国特色社会主义思想指导下,实现“两个一百年”奋斗目标,确保中华民族伟大复兴的巨轮始终沿着正确航向破浪前行,胜利驶向光辉的彼岸。

红旗文稿杂志社社长 顾保国

2019年11月

目录

前　言

马克思主义是中国共产党人宝贵的精神财富之一，马克思主义经典是我们党的理论之源、信仰之本、事业之基。学习马克思主义经典对增强马克思主义理论素养、培养科学思维方式、提高理论鉴别力以及深化对习近平新时代中国特色社会主义思想的理解具有重要意义。

新时代强调学习马克思主义经典，意义重大。首先，新时代学习马克思主义经典，有利于增强我党的马克思主义理论素养。不具备马克思主义理论素养的领导干部，不是合格的领导干部，厚实的马克思主义理论素养应该成为新时代领导干部的看家本领。其次，新时代学习马克思主义经典，有利于培养党员干部科学的思维方式。科学的思维方式是新时代党员领导干部科学分析、科学判断、科学决策、科学制定行动方案的基础和条件。马克思主义经典是经典作家们科学思维方式的精华和产物，充满了科学分析、科学论证的道理，凝聚着科学判断的结论。坐下来，读进去这些马克思主义经典，就能被贯穿着科学思维方式的哲理所深深吸引，从而养成领导干部科学的思维方式。最后，新时代学习马克思主义经典，十分有益于提高理论鉴别力。有些人为了说明自己的错误理论，往往引经据典、照搬照套、生吞活剥、故弄玄虚，貌似马克思主义，甚至不惜采取断章取义、移花接木等方式任意曲解马克思主义。如果我们不了解马克思主义，没有认真读过马克思主义经典，就极易轻信，甚至受骗上当、误入歧途。认真读过马克思主义经典，我们就会提高理论鉴别力，就不至于被一些粗制滥造的读物或二手资料引入迷途。

特别重要的是，新时代学习马克思主义经典，有利于深化对当代马克思主义——习近平新时代中国特色社会主义思想的理解。2017年9月29日，习近平总书记在主持中央政治局"当代世界马克思主义思潮及其影响"集体学习时强调："在人类思想史上，就科学性、真理性、影响力、传播面而言，没有一种思想理论能达到马克思主义的高度，也没有一种学说能像马克思主义那样对世界产生了如此巨大的影响。这体现了马克思主义的巨大真理威力和强大生命力，表明马克思主义对人类认识世界、改造世界、推动社会进步仍然具有不可替代的作用。"习近平总书记教导我们，"时代在变化，社会在发展，但马克思主义基本原理依然是科学真理。尽管我们所处的时代同马克思所处的时代相比发生了巨大而深刻的变化，但从世界社会主义500年的大视野来看，我们依然处在马克思主义所指明的历史时代。这是我们对马克思主义保持坚定信心、对社会主义保持必胜信念的科学根据。马克思主义就是我们党和人民事业不断发展的参天大树之根本，就是我们党和人民不断奋进的万里长河之泉源。背离或放弃马克思主义，我们党就会失去灵魂、迷失方向。在坚持以马克思主义为指导这一根本问题上，我们必须坚定不移，任何时候任何情况下都不能动摇”[①]。党的十九大作出了中国特色社会主义进入新时代的科学判断，正式提出“习近平新时代中国特色社会主义思想”这一概念。习近平新时代中国特色社会主义思想，是对马克思列宁主义、毛泽东思想、邓小平理论、“三个代表”重要思想、科学发展观的继承和发展，是马克思主义中国化的最新成果，是党和人民实践经验和集体智慧的结晶，是中国特色社会主义理论体系的重要组成部分，是全党全国人民为实现中华民族伟大复兴而奋斗的行动指南，必须长期坚持并不断发展[②]。马克思主义经典是中国特色社会主义理论的基础，从而也是习近平新时代中国特色社会主义思想的源泉。我们只有从源头上去学习、去挖掘，才能弄清楚中国特色社会主义理论的来龙去脉，才能加深对习近平新时代中国特色社会主义思想的理解，才能自觉运用。

学习和研读马克思主义经典著作是掌握并深入理解马克思主义基本原理的前提条件和重要途径。早在2011年5月13日，习近平同志出席中央党校春季开学典礼时，就专门强调了学习马克思主义经典著作的重要性。他指出：“马克思主义经典著作蕴含和集中体现着马克思主义基本原理，是马克思主义理论的本源和基础。”[③]2012年6月19日，习近平同志在考察

①《习近平在中共中央政治局第四十三次集体学习时强调：深刻认识马克思主义时代意义和现实意义　继续推进马克思主义中国化时代化大众化》，《党建》2017年第10期。

② 习近平：《决胜全面建成小康社会　夺取新时代中国特色社会主义伟大胜利》，北京：人民出版社，2017年，第20页。

③ 李章军：《认真学习马克思主义经典著作　不断推进中国特色社会主义事业》，《人民日报》2011年5月14日。

中国人民大学的“《资本论》教学与研究中心”时又提出：“精读马克思主义经典的代表性著作，追本溯源，把握马克思主义基本原理。”①

《资本论》是伟大的无产阶级革命导师马克思花了40年，或者说是他用毕生心血创作的一部伟大的科学巨著。2018年5月4日，习近平在纪念马克思诞辰200周年大会上的讲话中指出：“1848年，席卷欧洲的资产阶级民主革命爆发，马克思积极投入并指导这场革命斗争。革命失败后，马克思深刻总结革命教训，力求通过系统研究政治经济学，揭示资本主义的本质和规律。1867年问世的《资本论》是马克思主义最厚重、最丰富的著作，被誉为‘工人阶级的圣经’。晚年，马克思依然密切关注世界发展新趋势和工人运动新情况，努力从更宏大的视野思考人类社会发展问题。”②

知识链接

★ 马克思 ★

卡尔·马克思，全名卡尔·海因里希·马克思（德语：Karl Heinrich Marx，1818年5月5日—1883年3月14日）。马克思是德国的思想家、政治学家、哲学家、经济学家、革命理论家、历史学家和社会学家。主要著作有《资本论》《共产党宣言》等。马克思创立的广为人知的哲学思想为历史唯物主义，其最大的愿望是对于个人的全面而自由

① 聂锦芳：《掌握好“看家本领”——学习习近平关于马克思主义经典著作的有关论述》，《学习时报》2014年10月6日。

② 习近平：《在纪念马克思诞辰200周年大会上的讲话》，《人民日报》2018年5月5日。

的发展。马克思创立了经济理论《资本论》。马克思认为资产阶级的灭亡和无产阶级的胜利是同样不可避免的。他和恩格斯共同创立的马克思主义学说，被认为是指引全世界劳动人民为实现社会主义和共产主义理想而进行斗争的理论武器和行动指南。

习近平总书记在纪念马克思诞辰200周年大会上指出，马克思是全世界无产阶级和劳动人民的革命导师，是马克思主义的主要创始人，是马克思主义政党的缔造者和国际共产主义的开创者，是近代以来最伟大的思想家。

《资本论》是马克思的主要著作，是马克思主义的百科全书。《资本论》诞生后就被誉为“工人阶级的圣经”，在一个半多世纪的无产阶级革命风暴和世界经济波澜壮阔的发展中，显示了无限的生命力。它照亮了无产阶级革命的道路，指引了一些社会主义国家取得了社会主义革命的胜利。在当代，它仍然是资本主义国家无产阶级革命的理论宝库，是我们建设中国特色社会主义的指针。《资本论》是马克思在长期参加阶级斗争与科学实验和掌握大量实际资料与思想资料的基础上创作的划时代巨著，是马克思研究政治经济学的伟大成果。马克思在这部著作中运用辩证唯物主义和历史唯物主义的世界观和方法论揭示了资本主义社会的经济运动规律和资本主义产生、发展和灭亡的历史规律；根据对资本主义基本矛盾的分析，论证了资本主义被共产主义取代的历史必然性，为科学社会主义奠定了理论基础。

这部著作在政治经济学领域实现了革命变革，创立了马克思主义政治经济学。它诞生后的一个半多世纪以来，尽管资产阶级学者无数次地宣称《资本论》已经“被驳倒了”,《资本论》已经“过时了”,但是,这部伟大著作就像长青的劲松,在历经风雨后仍昂然屹立,尤其是在历次资本主义经济危机、金融危机中证明了其科学性。

《资本论》的内容极其丰富,除经济学内容外,还包含马克思主义哲学和科学社会主义的内容,以及有关政治、法律、历史、教育、道德、宗教、科学技术、文学艺术的精辟论述,是马克思主义的理论宝库。

《资本论》首先是一部伟大的马克思主义政治经济学著作。《资本论》以唯物史观的基本思想为指导,通过深刻分析资本主义生产方式,揭示了资本主义社会发展的规律,同时也使唯物史观得到了科学的验证和进一步的丰富和发展。它运用唯物史观的观点和方法,将社会关系归结为生产关系,将生产关系归结于生产力的高度,从而证明了社会形态的发展是一个不以人的意志为转移的自然历史过程。

《资本论》也是一部伟大的马克思主义哲学和逻辑学著作。列宁在《哲学笔记》中提到《资本论》时说:“虽说马克思没有遗留下‘逻辑’(大写字母的),但他遗留下《资本论》的逻辑,应当充分地利用这种逻辑来解决这一问题。在《资本论》中,唯物主义的逻辑、辩证法和认识论(不必要三个词:它们是同一个东西)都应用于一门科学,这种唯物主义从黑格尔那里吸取了全部有价值的东西并发展了这些有价值的东西。”[1]列宁还指出:“自从《资本论》问世以来,唯物主义历史观已经不是

①《列宁全集》第55卷,北京:人民出版社,1990年,第290页。

假设，而是科学地证明了的原理。”[①]“既然运用唯物主义去分析和说明一种社会形态就取得了这样辉煌的成果，那么，十分自然，历史唯物主义已不再是什么假设，而是经过科学检验的理论了；十分自然，这种方法也必然适用于其余各种社会形态，虽然这些社会形态还没有经过专门的实际研究和详细分析……”[②]可见，《资本论》实际上也是马克思给我们留下的一部具体的哲学著作。

《资本论》还是一部伟大的科学社会主义著作。我们知道剩余价值学说作为一条主线贯穿于整个《资本论》，而马克思剩余价值学说的建立，使社会主义从空想变成了科学。恩格斯指出：“这个问题的解决是马克思著作的划时代的功绩。这个问题的解决使明亮的阳光照进了经济学的各个领域，而在这些领域中，从前社会主义者也曾像资产阶级经济学家一样在深沉的黑暗中摸索。科学社会主义就是以这个问题的解决为起点，并以此为中心的。”[③]所以，列宁说《资本论》又是“叙述科学社会主义的主要的和基本的著作”[④]。

《资本论》还包括了马克思在政治、法律、历史、数学、自然科学、技术科学、教育、道德、宗教、文学、艺术、语言等领域闪烁着天才火花的思想。

由此可见，《资本论》是马克思主义的百科全书，是马克思主义理论的基本阵地，要掌握马克思主义的基本原理，就要学

---

①《列宁全集》第1卷，北京：人民出版社，1984年，第112页。

②《列宁全集》第1卷，北京：人民出版社，1984年，第115页。

③《马克思恩格斯全集》第26卷，北京：人民出版社，2014年，第213页。

④《列宁全集》第1卷，北京：人民出版社，1984年，第154页。

习马克思的主要著作——《资本论》。

这里要提一下《21世纪资本论》。《21世纪资本论》是法国经济学家、巴黎经济学院教授托马斯·皮凯蒂的著作，书中用翔实的数据揭露了资本主义贫富差距扩大的总趋势。此书一经出版，立即引起了广泛关注，迅速成为世界畅销书，在我国还引发了轰动，甚至有人拿它与马克思的《资本论》相比。

但是，《21世纪资本论》不是对《资本论》的继承与发展，更不是《资本论》的续篇，只是借用了对其宣传有利的书名，其实与《资本论》并没有一脉相承的联系。两者在写作的历史背景、目的、研究对象的内容、对资本的理解、体系结构、研究方法、对资本收益率的理解以及解决问题的思路上都有不同。[①]皮凯蒂本人本质上仍是一位资本主义社会维护者，意图在书中提出改革以推动资本主义社会进步。

而《资本论》是马克思主义的百科全书，概括体现了马克思主义的三个重要组成部分。马克思继承和发展了资产阶级古典政治经济学中的科学成分，以资本主义生产关系及其发展规律为研究对象，搜集、整理并研究了资本主义发展历史的大量材料，详细地分析了资本主义的生产、交换以及与之相适应的产品分配关系，揭示了资本主义经济运动规律。马克思通过唯物史观和剩余价值理论，对资本主义生产方式的剥削实质进行了充分揭露，揭示了资本主义产生、发展和灭亡的规律，论证了资本主义制度一定灭亡，社会主义一定胜利的历史必然性。

---

① 崔友平：《〈资本论〉与〈21世纪资本论〉比较研究》，《马克思主义与现实》2015年第2期。

Reading & Interpretation

大家写小书·马恩经典著作新读

第一章

《资本论》写作的历史背景

一、《资本论》产生的历史背景

任何事物的产生都有一定的历史背景，同样，《资本论》也有着特殊的历史背景，可概括为三句话：是时代的产物，是理论的总结，是阶级斗争的结果（革命的需要）。

1.《资本论》是时代的产物。

《资本论》是资本主义时代的产物，是在资本主义发展时期，无产阶级和资产阶级之间的阶级斗争充分展开的情况下，为适应无产阶级革命斗争的需要而产生的。

马克思从19世纪中叶就开始写作《资本论》了。当时，资本主义生产方式已经在英、法、德等欧洲主要国家占统治地位。英国的产业革命把资本主义推向了一个更高的阶段，使资本主义从工场手工业过渡到机器大工业。随着资本主义机器大工业的发展，无产阶级的队伍迅速壮大起来，逐渐形成了一支独立的政治力量，登上了历史舞台。资本主义高度发展的结果，使资本主义生产方式的生产社会化和生产资料私人占有之间的矛盾充分暴露出来。随着矛盾的尖锐化，无产阶级与资产阶级之间的阶级斗争也日益激化。1831年和1834年法国里昂工人的两次起义，在世界工人运动史上第一次揭开了无产阶级反对资产阶级的光辉一页。他们提出了“工作不能生活，毋宁战斗而死”的口号。1836—1838年，英国工人的宪章运动以及1844年德国西里西亚的纺织工人的反抗斗争等表明，欧洲工人阶级已经形成一支独立的政治力量，经济斗争已经转化为政治斗争，但是斗争的失败也证明了无产阶级还缺乏对历史革命使命的科学认识。无产阶级反对资产阶级的斗争，迫切地需要科学的革命理论来指导。《资本论》就是在这样的社会历史条件下产生的，所以说《资本论》是时代的产物。

知识链接

★ 欧洲三大工人运动 ★

一、法国里昂工人起义

1831年和1834年，法国里昂工人为反对资本主义剥削压迫举行了两次武装起义。里昂是法国丝织业中心，在工场主和包买商的残酷剥削下，丝织工人和手工业者的生活极为困苦。1831年初，里昂工人掀起了一场以要求提高工价为主要内容的运动，多次举行集会、请愿、游行。10月间，工人与包买商谈判达成最低工价协议。但随后在"七月王朝"商业大臣的支持下，包买商撕毁协议。1831年11月21日，工人举行抗议示威，与军警发生冲突后转为自发的武装起义。起义者提出"工作不能生活，毋宁战斗而死"的口号。经过3天战斗，工人一度占领里昂城。但起义很快被"七月王朝"政府调来的军队所镇压。

1834年4月9日，里昂再度爆发丝织工人起义。起义的直接原因是政府逮捕和审判罢工领袖，发布禁止工人结社集会的法令。这次起义具有更鲜明的政治性质，不仅提出经济要求，还提出废除君主制度、建立共和政体的口号。起义者在旗帜上写着："我们为之斗争的事业是全人类的事业。"工人组织互助社和小资产阶级民主主义者组织人权社、进步社的成员组成总委员会领导这次斗争。起义群众同政府军在里昂郊区和市内进行了6天的激战，终因力量悬殊被政府军镇压。起义在巴黎等法国的许多地区引起了强烈反响，推动了法国工人运动的发展。

二、英国宪章运动

英国是第一个发生资产阶级革命和进行工业革命的国家,19世纪时被称为“世界工厂”。在这个以实行议会民主而闻名的国家里,只有缴纳高额所得税的人才有选举权,而广大工人被排斥在议会大门之外。

《人民宪章》是1837年由伦敦工人协会向国会提出的一份请愿书,提出年满21岁的男子都有普选权,选举投票应秘密进行,废除议会候选人的财产资格限制,国会每年举行一次改选,平均分配选区。次年5月,这份请愿书公布后,被称为《人民宪章》。

宪章运动揭开了同资产阶级争夺政治权力的斗争的序幕。列宁评价英国的宪章运动是世界上第一次广泛的、真正群众性的、政治性的无产阶级革命运动。

三、德国西里西亚纺织工人起义

1844年6月,普鲁士王国所属西里西亚的纺织工人起义。当时西里西亚有发达的纺织业。这个地区从事棉麻纺织的工人和家庭手工业者受到工场主、包买商以及地主的残酷剥削。1844年6月4日,以争取提高工资被拒绝为导火线,在欧根山麓两个纺织村镇彼特斯瓦尔道和朗根比劳爆发了纺织工人自发的起义。起义者以简陋的武器迎战政府军,坚持到6月6日时,起义被镇压。起义推动了工人运动的发展,西里西亚主要城市布勒斯劳的手工业者和学徒,柏林、亚琛的纺织工人,马格伏堡的糖厂工人等,先后举行罢工以及局部起义,响应西里西亚织工的斗争。

三大工人运动标志着现代无产阶级已经作为一支独立的政治力量登上了历史舞台,开始显现出伟大的历史作用。在三大工人运动中，无产阶级提出了自己独立的政治、经济要求，冲击着资本主义制度，无产阶级反对资产阶级的斗争由此进入一个新阶段。

2.《资本论》是理论的总结。

《资本论》是在批判地继承英国古典政治经济学的基础上，以及在与资产阶级庸俗经济学作斗争中产生的。马克思吸收了古典经济学的科学成分，抛弃了其中的庸俗成分，在经济理论领域进行了伟大的彻底变革，从而创立了为无产阶级服务的科学的革命的学说。在《资本论》中，马克思总结了各种经济理论的基本原理和重要规律，又批驳了资产阶级庸俗政治经济学，建立了无产阶级政治经济学。所以，《资本论》的副标题是"政治经济学批判"。这就是说，它是在分析、批判资产阶级和小资产阶级政治经济学的斗争中产生的。

知识链接 ························

★ 英国古典政治经济学 ★

英国古典政治经济学产生于17世纪中叶的英国资产阶级革命时期，完成于19世纪初的工业革命初期，是英国资本主义上升时期代表新兴产业资产阶级利益的理论体系。它反对封建制度和重商主义，主张经济自由，以生产领域为研究对象，试图阐明资本与经济的内在联系；摆脱晚期重商主义的影响，力图寻求经济现象背后所隐藏的实质，把理论研究从流通领域转向生产领域，探讨资本主义制度下财富生产和分配的规律。由于当时英国资本主义经济的发展水平居各国之首，因此英国古典政治经济学者的研究更加广泛深入,资产阶级立场更为鲜明。[①]

3.《资本论》是阶级斗争的结果。

《资本论》是无产阶级革命运动经验的总结。恩格斯说:"因为马克思首先是一个革命家。他毕生的真正使命,就是以这种或那种方式参加推翻资本主义社会及其所建立的国家设施的事业,参加现代无产阶级的解放事业,正是他第一次使现代无产阶级意识到自身的地位和需要,意识到自身解放的条件。"[②]马克思的整个理论活动是服务于无产阶级解放斗争事业的,他把理论活动同无产阶级的革命斗争实践有机地联系在一起。在实际斗争中,马克思用科学的方法总结了无产阶级长期进行阶级斗争的丰富经验,把它们概括为指导无产阶级革命的学说,并用这一学说指导革命实践。马克思总结的无产阶级斗争的经验,包括经济方面的斗争,就凝结在《资本论》中,所以说《资本论》是无产阶级革命运动经验的总结。

二、写作《资本论》的动因

马克思,1818年5月5日出生于德意志邦联普鲁士王国莱茵省(属于德国莱茵兰—普法尔茨州)特里尔城一个律师家庭。其父是一位学识渊博、受人尊敬的律师,思想倾向于资产阶级的人道主义和自由主义。马克思受到了家庭和学校的良好教育的影响。1835年,马克思在中学毕业论文《青年在选择职业时的考虑》中表达了立志为人类服务的崇高思想。他写

① 何盛明:《财经大辞典》,北京:中国财政经济出版社,1990年。

②《马克思恩格斯文集》第3卷,北京:人民出版社,2009年,第602页。

道："在选择职业时，我们应该遵循的主要指针是人类的幸福和我们自身的完美。……人只有为同时代人的完美、为他们的幸福而工作，自己才能达到完美。……如果我们选择了最能为人类而工作的职业，那么，重担就不能把我们压倒，因为这是为大家作出的牺牲；那时我们所享受的就不是可怜的、有限的、自私的乐趣，我们的幸福将属于千百万人……"[①]这说明17岁的马克思已经选择了一条适应时代需要、为人类服务的人生道路。

总结来说，马克思创作《资本论》的最初动因有以下几点。

1. 为劳苦大众伸张正义。

1835年10月，马克思中学毕业后进入波恩大学学习，后转学到柏林大学学习法律，但他大部分的时间却放在学习哲学和历史上。1841年，马克思以论文《德谟克利特的自然哲学和伊壁鸠鲁的自然哲学之区别》申请学位，并因得到委员会一致认可，未进一步答辩而顺利获得耶拿大学哲学博士学位。毕业后，他担任了《莱茵报》主编，遇到在马克思思想发展史上颇为有名的"林木盗窃问题"。1842年10月，他写下《关于林木盗窃法的辩论》一文，谴责立法机关偏袒林木所有者的利益，剥夺贫民捡拾枯枝等习惯权利，系统提出了自己的森林立法观。对于《莱茵报》所发表的观点，普鲁士政府非常气愤，立刻派人查封《莱茵报》，迫使该报停止印刷。1843年，马克思一气之下辞去主编职务，开始研究经济学。马克思在回顾自己研究政治经济学的起因时说："我学的专业本来是法律，但我

①《马克思恩格斯文集》第1卷，北京：人民出版社，1995年，第459页。

只是把它排在哲学和历史之次当做辅助学科来研究。1842—1843年间，我作为《莱茵报》的编辑，第一次遇到要对所谓物质利益发表意见的难事。莱茵省议会关于林木盗窃和地产析分的讨论，当时的莱茵省总督冯·沙培尔先生就摩泽尔农民状况同《莱茵报》展开的官方论战，最后，关于自由贸易和保护关税的辩论，是促使我去研究经济问题的最初动因。”①

2. 解剖“市民社会”。

在《莱茵报》工作期间，马克思遇到了许多现实的经济问题和政治问题。最突出的是在国家和法的问题上的疑问。马克思在《〈政治经济学批判〉序言》中回忆说：“为了解决使我苦恼的疑问，我写的第一部著作是对黑格尔法哲学的批判性的分析……我的研究得出这样一个结果：法的关系正像国家的形式一样，既不能从它们本身来理解，也不能从所谓人类精神的一般发展来理解，相反，它们根源于物质的生活关系，这种物质的生活关系的总和……概括为‘市民社会’，而对市民社会的解剖应该到政治经济学中去寻求。”②正如恩格斯所说：“关于市民社会的科学，也就是政治经济学。”③正是为了寻求对市民社会的解剖，马克思改变了科学研究的方向，致力于研究政治经济学。

3. 批判工人运动中的错误思潮、想法。

批判当时流行于工人运动中的错误思潮是推动马克思研究政治经济学的另一个重要原因。19世纪三四十年代，在法

---

①《马克思恩格斯文集》第2卷，北京：人民出版社，2009年，第588页。

②《马克思恩格斯文集》第2卷，北京：人民出版社，2009年，第591页。

③《马克思恩格斯全集》第16卷，北京：人民出版社，1964年，第409页。

国工人运动中流行着形形色色的社会主义思潮。它们从不同的立场出发，对资本主义制度进行了不同程度的揭露和批判，并且描述了对未来社会的种种设想，提出了实现这些设想的各种方案。这些理论虽然在一定意义上曾经对工人运动有过积极的影响，但是由于受历史条件的限制，这些社会主义者缺乏鲜明的无产阶级立场和科学的共产主义世界观，因而他们的理论必然存有不可克服的缺陷，非但不能指导工人运动走向胜利，而且影响和干扰了工人阶级革命斗争的顺利进行。马克思认为自己以往只研究法律、哲学和历史，而对社会生活中的重大的实际问题和理论问题缺乏知识，所以还需要认真研究政治经济学。马克思后来在《〈政治经济学批判〉序言》中回忆这段经历时写道："在善良的'前进'愿望大大超过实际知识的当时，在《莱茵报》上可以听到法国社会主义和共产主义的带着微弱哲学色彩的回声。我曾表示反对这种肤浅言论，但是同时在和奥格斯堡《总汇报》的一次争论中坦率承认，我以往的研究还不容许我对法兰西思潮的内容本身妄加评判。"①

4. 寻求对共产主义的"理论论证"。

马克思既肯定了共产主义是一个重要问题，又否定了现有形式的共产主义思想的现实性，这种原则态度表明，马克思要探索一种新的关于共产主义的科学理论。他说："我们坚信，构成真正危险的并不是共产主义思想的实际试验，而是它的理论阐述。"②对共产主义进行"理论论证"之所以重要，是因为只有经过理论论证的科学的共产主义思想，才能被劳动群

①《马克思恩格斯文集》第2卷，北京：人民出版社，2009年，第588—591页。

②《马克思恩格斯全集》第1卷，北京：人民出版社，1995年，第295页。

众所信仰。[①]

但是对共产主义进行“理论论证”，即创立科学的共产主义理论，是一项十分艰巨的任务。他不承认现有形式的共产主义思想的现实性，但是他认为对待这类理论著作必须慎重，“决不能根据肤浅的、片刻的想象去批判，只有在长期持续的、深入的研究之后才能加以批判”[②]。如何对共产主义进行“理论论证”，即如何批判空想的社会主义、共产主义思潮，创立科学的共产主义理论，是马克思在《莱茵报》工作期间遇到的另一个使他苦恼的疑问，也是他非常乐意从社会舞台退回书房，致力于政治经济学研究的另一方面的原因。

三、《资本论》的写作和出版过程

马克思为写作《资本论》付出了40年的辛勤劳动，接着，恩格斯又花了10年左右时间续成由于马克思逝世而中断的事业。他们两人前后花了50年时间，克服了各种难以想象的困难才出版了这部巨著。

1. 写作《资本论》的阶段划分。

从1843年年底马克思开始涉猎政治经济学，到1883年3月14日，共40年，分3个阶段。

第一阶段：搜集材料，写作政治经济学的笔记和手稿。具体是从1843年10月开始，到1858年5月底告一段落，共15年，是写作的准备阶段，马克思写了《1843—1847年读书笔记》《1850—1851年读书笔记》和《1857—1858年经济学手稿》。

---

①《马克思恩格斯全集》第1卷，北京：人民出版社，1995年，第295—296页。

②《马克思恩格斯全集》第1卷，北京：人民出版社，1995年，第295页。

第二阶段：写作和出版《政治经济学批判》阶段。从1858年6月到1863年8月，共5年的时间。刚开始，马克思以《政治经济学批判》为书名写下了《1861—1863年经济学手稿》。但在写稿过程中，他改变了计划，决定以《资本论》为书名，而以“政治经济学批判”作为副标题。

第三阶段：修改和出版《资本论》。1866年1月，马克思开始对《资本论》第一卷进行誊清和加工，于1867年4月完成。1867年9月14日，《资本论》第一卷在德国汉堡出版发行。但直到他心脏停止跳动时，他面前的书桌上还放着正在修改的《资本论》第二、第三卷的原稿。

知识链接 ……………………………………………………

★《政治经济学批判》★

马克思公开发表的第一部政治经济学著作写成于1857—1858年，1859年6月由柏林敦克尔出版社出版。全书由三部分组成，即《序言》《商品》和《货币或简单流通》。

19世纪50年代后期，马克思认为伴随着1857年爆发的经济危机必然会出现革命的新高潮。他立即着手总结自己15年来经济研究的成果，以便从思想上武装战斗的工人阶级。按照马克思的计划，他以《政治经济学批判》命名的巨著共有六分册：①关于资本；②关于土地所有制；③关于雇佣劳动；④关于国家；⑤关于对外贸易；⑥关于世界市场。《政治经济学批判》是这部巨著的第一分册的前两章。后来，马克思改变了写作这部巨著的原定计划，而着手写作《资本论》。他把该书的内容加以概括写进了《资本论》第一卷第一篇中，并把该书称为《资本论》的“初篇”。马克思在制定他的经济学说时，一直重视把对经济范畴的探讨与对资产阶级经济理论的批判结合起来。因此，马克思在这本书的第一章和第二章的末尾都附有关于这些问题的理论的历史考察，包括《关于商品分析的历史》《关于货币计量单位的学说》和《关于流通手段和货币的学说》。这些论述为创立马克思主义的经济学说史奠定了基础。

《政治经济学批判》的出版为马克思彻底完成政治经济学领域中的革命变革奠定了理论基础，同时也从根本上抨击了当时在罗曼语国家流行的蒲鲁东主义。

2. 恩格斯的贡献。

马克思逝世后，恩格斯毫不犹豫地放下了自己多年的研究工作，担负起整理和出版《资本论》遗稿的责任。恩格斯说：“在所有健在的人中间只有我能胜任。如果我没有完成这些工作就去世的话，那就没有其他人能够辨认这些手稿，这些手稿连马克思本人也往往在事后认不出来，大概只有他的夫人和我才能够辨认。”[①]《资本论》第二卷终于在1885年10月出版了，第三卷则于1894年出版。列宁曾引用别人的话说：“恩格斯出版《资本论》第二卷和第三卷，就是替他的天才朋友建立了一座庄严宏伟的纪念碑，无意中也把自己的名字不可磨灭地铭刻在上面了。”[②]的确，这两卷《资本论》是马克思和恩格斯两人的著作。

1895年，恩格斯在临终前曾委托第二国际领导人之一、社

---

①《马克思恩格斯全集》第36卷，北京：人民出版社，1975年，第165页。

②《列宁全集》第2卷，北京：人民出版社，2013年，第10页。

会民主主义活动家卡尔·考茨基整理原稿，作为第四卷出版，考茨基将其命名为《剩余价值学说史》，分三卷分别于1904、1905、1910年出版。1954—1961年，苏联重新整理出版了第四卷手稿，命名为《剩余价值理论》。

恩格斯对《资本论》的贡献首先体现在创作《资本论》上，为无产阶级提供强大的思想理论武器，是马克思和恩格斯两人共同事业的一个重要组成部分；其次体现在恩格斯是《资本论》第一卷的协助者和宣传者；再次体现在恩格斯是《资本论》第二卷和第三卷的整理、编辑和出版者；最后体现在恩格斯为《资本论》第四卷的出版所作的准备。

知识链接

★ 恩格斯 ★

弗里德里希·恩格斯（1820年11月28日—1895年8月5日），德国社会主义理论家、作家、哲学家，全世界无产阶级和劳动人民的伟大导师，国际无产阶级运动的领袖，马克思主义的创始人之一。

恩格斯是马克思的挚友和亲密战友，被誉为“第二提琴手”，和马克思共同撰写了《共产党宣言》，共同创立了科学共产主义理论。马克思逝世后，恩格斯将马克思遗留下的大量手稿、遗著整理出版，还肩负起领导国际工人运动的重担。除同马克思合撰著作外，他还著有《家庭、私有制和国家的起源》《反杜林论》《自然辩证法》等。

★ 考茨基 ★

卡尔·考茨基（1854年10月16日—1938年10月17日），社会民主主义活动家，德国社会民主党和第二国际的领导人之一，著名的正统马克思主义理论权威。考茨基还是《资本论》第四卷的编者。

考茨基的理论影响深远，是社会民主主义思想的重要思想来源之一。但他在论著中违背了马克思关于资本主义生产关系以及固有矛盾的核心论述，受到新康德主义以及拉萨尔主义影响，使第二国际逐渐远离马克思主义的原本论述，受到列宁以及西方现代重要知识分子的指责与批判。

3.《资本论》是历经千辛万苦写成的科学巨著。

正如马克思在《资本论》第一卷序言中所说："在科学上没有平坦的大道，只有不畏劳苦沿着陡峭山路攀登的人，才有希望达到光辉的顶点。"[①]这句名言是马克思写作《资本论》的真实写照。恩格斯认为这个一辈子也搞不完的东西使马克思在身体、精神和经济方面都被压得喘不过气来。马克思的夫人燕妮也曾说过："恐怕没有一本书是在比这更困难的条件下写成的，我大概可以就此写一部秘史，它将揭示出很多、多到无限的暗自的操心、忧虑和苦恼。"[②]这里仅列举几个镜头。

（1）勤奋工作。在伦敦的大英博物馆里，马克思废寝忘食地工作，为争取工人的8小时而斗争，可自己每天的工作时间往往两倍于此。

（2）遭受迫害。1843年，《莱茵报》被查封，马克思因忍受不了普鲁士反动统治下的那种令人窒息的氛围，认为在德国再也没有什么作为，便和刚结婚的妻子来到了法国。但这种

①《马克思恩格斯文集》第5卷，北京：人民出版社，2009年，第24页。

②《马克思恩格斯全集》第31卷，北京：人民出版社，1972年，第598页。

好像是自愿的出境很快变成了真正的驱逐，因为在巴黎的他也收到了驱逐令。于是在巴黎住了一年后，他又搬到了比利时的布鲁塞尔。但普鲁士政府还是不肯放过他。于是，在1845年马克思声明脱离普鲁士国籍，从此成了“一个世界公民”。

（3）生活贫困。靠着给《纽约每日论坛报》写文章，每周20马克便是马克思一家仅有的固定收入。很少有人会在这样窘迫缺钱的情况下写作关于“货币”的文章。

马克思的伟大不在于忍受了物质生活的极端贫困，而在于这种极端贫困丝毫没有动摇他的信念和意志。马克思自己就说：“我已经把我的全部财产献给了革命斗争。我对此一点不感到懊悔，相反地，要是我重新开始生命的历程，我仍然会这样做……”①

（4）疾病的折磨。伤风、肝病、胆病、腰部风湿、支气管炎、肺炎、胸膜炎等疾病使他最终没有写完《资本论》。

4.《资本论》的第一卷是献给威廉·沃尔弗的，第二卷、第三卷是献给燕妮的。

马克思在《资本论》第一卷出版时写道：献给我的不能忘记的朋友——勇敢的忠实的高尚的无产阶级先锋战士威廉·沃尔弗（1809年6月21日生于塔尔瑙，1864年5月9日死于曼彻斯特流亡生活中）。

威廉·沃尔弗，德国无产阶级革命家，是马克思、恩格斯的亲密战友。早在1846年春天，马克思在比利时布鲁塞尔组织

①《马克思恩格斯全集》第31卷，北京：人民出版社，1972年，第521页。

共产主义通讯委员会时，就结识了沃尔弗。从此，他跟随马克思和恩格斯积极参与他们创建德意志工人协会、创立无产阶级政党、创办《新莱茵报》等艰巨的革命活动。沃尔弗用新闻记者的笔锋为反对普鲁士专制制度奋斗了一生。人们爱读他的情绪激昂的文章，更热爱他的崇高品格和作风。他原则性强、坚定不移、忠心耿耿、作风谦虚、道德纯洁，对自己和别人要求都很严格。

但监狱生活的折磨和紧张的斗争损害了沃尔弗的健康，使他未能看到《资本论》的出版就去世了。他在逝世前留下遗嘱，将一部分钱赠给恩格斯和席勒学会，同时把700英镑和书籍等财物赠给马克思，这对于帮助马克思摆脱生活上的困境，起了雪中送炭的作用。恩格斯在沃尔弗的传记中写道："马克思和我失去了一位最忠实的朋友，德国革命失去了一位价值无比的人。"[①]所以，马克思把自己多年呕心沥血写成的《资本论》第一卷献给了威廉·沃尔弗。

马克思夫人——燕妮·冯·威斯特华伦（1814—1881），是马克思的终身伴侣和得力助手。燕妮和马克思携手并肩度过了40年，在共同的生活中，燕妮从马克思那里得到了巨大的精神鼓舞和安慰，对马克思终生为之奋斗的事业从不动摇、忠贞不渝，同时，她也给了马克思巨大的帮助。正像他们的小女儿爱琳所说，如果没有燕妮，马克思"也就不成其为马克思"[②]。为了写作《资本论》，制定革命理论并用以武装无产阶级，燕妮

①《马克思恩格斯全集》第25卷，北京：人民出版社，2001年，第108页。

② 保尔·拉法格等：《回忆马克思恩格斯》，马集译，北京：人民出版社，1973年，第298页。

和马克思一起经受了反动派的疯狂迫害和打击，克服了种种难以想象的物质生活上的困难。

除了操持家务，为一家人的温饱而忙碌之外，燕妮还肩负了被马克思称为“常任秘书”的重任，负责誊清大量的手稿。而马克思的手稿字迹潦草，有些地方连他本人也无法辨认，燕妮却把它们誊抄得清晰而工整。当她从出版商那里听到《资本论》即将出版的消息后，给恩格斯写信说：“看到自己面前摆着这样一大堆誊写干净的稿子，心里是多么高兴啊！我的肩上卸下了一个沉重负担……”[①]燕妮到了晚年，还经常回忆起她在马克思的小房间里誊写字迹潦草的手稿的情景，认为这是她“一生最幸福”的时刻。燕妮不仅是《资本论》的第一个读者和誊写员，而且还是一个顾问和宣传者。马克思的女婿拉法格在他的回忆文章中说，马克思“把自己的一切手稿都交给她看，并且非常重视她的意见”[②]。

长期过着漂泊、穷困和忧虑的生活，损害了燕妮的健康。1881年12月2日，肝癌夺去了燕妮的生命，一位伟大的女性与世长辞了。马克思悲恸欲绝，但由于他的病体虚弱，医生禁止他参加葬礼。恩格斯在燕妮墓前致了悼词，高度评价了燕妮的革命精神和崇高品德，指出：“她的一生表现出了极其明确的批判智能，卓越的政治才干，充沛的精力，伟大的忘我精神；她这一生为革命运动所做的事情，是公众看不到的，在报刊上也没有记载。她所做的一切只有和她在一起生活过的人才了

① 《马克思恩格斯全集》第31卷，北京：人民出版社，1972年，第595页。

② 保尔·拉法格等：《回忆马克思恩格斯》，马集译，北京：人民出版社，1973年，第15页。

解。”[①]为了表达对燕妮的思念，马克思曾经多次说过，《资本论》的第二卷和第三卷是献给他的夫人的。

5.《资本论》的翻译与传播。

《资本论》是无产阶级根本利益的科学体现，像一盏不熄的明灯，照亮了全世界无产阶级和进步人类走向光明的大道。《资本论》的公开出版，赢得了全世界无产阶级的广泛欢迎。1868年9月11日，第一国际在布鲁塞尔召开的代表大会上，一致通过了德国代表团提出的关于《资本论》的决议案，建议所有国家的工人都来学习《资本论》，还呼吁把这部重要著作译成各种文字出版。150多年来，《资本论》与国际工人运动的发展紧密相连，在全世界广泛传播。刚开始，它主要在欧美比较发达的资本主义国家出版发行；第一次世界大战后，在俄国十月革命的影响下，《资本论》不仅在欧美得到了进一步广泛和深入的传播，在亚洲的日本、中国等地也先后出现了译本；第二次世界大战后，世界革命进入了一个崭新的历史时期，《资本论》已遍及全世界，在欧洲、亚洲、北美洲、拉丁美洲和非洲都出版了译本。

但在《资本论》第一卷出版以后的数月中，资产阶级理论界和新闻界对《资本论》一言不发、不予评论，采取了和对待1859年出版的《政治经济学批判》同样的沉默手法。为了不使《资本论》再像《政治经济学批判》那样被资产阶级的沉默阴谋所“抹杀”，恩格斯提出需要使用“小小的手腕”。对此，马克思表示十分赞同，他说：“你从资产阶级观点对书进行抨击的计

①《马克思恩格斯全集》第19卷，北京：人民出版社，1963年，第323—324页。

划是最好的作战方法。”①

马克思和恩格斯为打破资产阶级的沉默阴谋而作的斗争，取得了显著的效果。从《资本论》第一卷出版的第二年起，各种报刊上出现了许多自发的书评。

6.《资本论》在中国的出版和传播。

在中国历史上，第一个写文章提到马克思和《资本论》的是蔡尔康。他在1899年的《万国公报》上写到马克思著有《资本论》一书。梁启超在1902年和1903年的《新民丛报》上，马君武在1903年的《译书汇编》上，都多次提到马克思以及《资本论》的思想观点。中国第一个较详细地介绍《资本论》内容的人是朱执信。1906年，他在《民报》上发表了《德意志社会革命家小传》，评介了《资本论》的理论。随后，1919年，李大钊在《我的马克思主义观》中介绍了马克思《资本论》的基本思想。

1930年3月，上海昆仑书店出版了由陈启修（后改名陈豹隐）根据德文版并参照日文版翻译的《资本论》第一卷第一分册（即第一卷的第一篇）；1932年，北京有两种译本出版，一部是由国际学社出版的王慎明、侯外庐的译本，另一部是由东亚书局出版的潘冬舟的译本。商务印书馆在1934年5月出版了《资本论》第一卷第一分册；1936年6月，以“世界名著译丛”名义出版了《资本论》第一卷中册、下册。至此，《资本论》第一卷的第一个中文全译本出齐。1938年8—9月，上海读书生活出版社出版中译本《资本论》（三卷本）。1963—1966年，根据德文原文，并参照《马克思恩格斯全集》俄文第二版第23、24、25

①《马克思恩格斯全集》第31卷，北京：人民出版社，1972年，第352页。

卷以及英译本，人民出版社出版了三卷的修订本。中央编译局根据相关德文版和俄文版，组织对《资本论》（三卷本）进行翻译，并收入《马克思恩格斯全集》中文第一版第23、24、25卷，由人民出版社出版。2004年，中央组织实施马克思主义理论研究和建设工程，按照工程任务要求，中央编译局编译了10卷本的《马克思恩格斯文集》，于2009年12月由人民出版社出版，其中第五、六、七卷为《资本论》第一、二、三卷。2018年，在纪念马克思诞辰200周年之际，由中央编译局编译、人民出版社出版了《资本论》第一、二、三卷纪念版。

此外，在推动《资本论》的学习过程中，国内出现了种种关于《资本论》学习津梁一类的书籍。

延伸阅读

1. 洪远鹏主编：《新编〈资本论〉教程》，上海：复旦大学出版社，1988年。

2. 崔友平：《〈资本论〉的传播与当代价值当代》，《世界与社会主义》2017年第3期。

3. 《马克思恩格斯文集》，北京：人民出版社，2009年。

深度思考

1. 试述《资本论》产生的历史背景。

2. 试述《资本论》的写作和出版过程。

3. 试述《资本论》在中国的出版和传播。

Reading & Interpretation

大家写小书·马恩经典著作新读

第 二 章

《资本论》的内容介绍

一、《资本论》的研究对象和目的

“我要在本书研究的，是资本主义生产方式以及和它相适应的生产关系和交换关系。”[①]何为“资本主义生产方式”？理论界有的人把它理解为生产关系，有的把它理解为生产力，有的把它理解为生产力和生产关系的统一，等等。而马克思在不同的场合使用时，“资本主义生产方式”也有不同的含义。其实《资本论》就是论“资本”，而资本是能够带来剩余价值的价值，它体现的是人与人之间的关系。所以，马克思《资本论》是以资本主义生产关系为研究对象的。马克思搜集和研究了资本主义发展历史的大量材料，详细地分析了资本主义的生产、交换以及与之相适应的产品分配关系，揭示了资本主义经济运动规律。

在《序言》中提到的“资本主义方式”，是指以资本主义所有制为基础的生产资料与劳动力相结合的方式，这属于广义的生产关系，包括生产、交换、分配和消费等各方面的关系。而“和它相适应的生产关系”，则是指直接生产过程中人与人之间的关系，即狭义的生产关系，它从属于广义的生产关系。

社会生产关系就是人们在物质资料生产过程中所结成的相互关系，又称经济关系。生产关系的内容，包括人们在一定生产资料所有制基础上所形成的，在社会生产总过程中发生的生产、分配、交换和消费关系。

生产关系首先是在直接生产过程中人们结成的相互关

---

①《马克思恩格斯文集》第5卷，北京：人民出版社，2009年，第8页。

系，这是狭义的生产关系。但是，生产关系不仅仅局限于这个范围。要知道，物质资料生产过程是指社会生产的总过程，它不是孤立的简单的一次性生产过程，而是在整个社会范围内，不断连续运动、不断重复进行、不断更新的再生产过程。在这个社会生产总过程中，人们在直接生产过程中生产出来的产品，只有经过分配和交换，才能最终进入消费，然后社会生产过程重新开始进行。所以，社会生产总过程，包括生产、分配、交换、消费四个相互联系的环节，是由这四个环节所组成的运动过程，从而也就使人们在社会生产总过程中形成了生产、分配、交换和消费方面的关系。这是广义的生产关系，或称生产关系体系。《资本论》所研究的生产关系，就是人们在社会生产过程中所建立的生产、分配、交换、消费方面的经济关系的总和。

生产、分配、交换、消费作为社会生产总过程的四个环节，它们之间存在着相互联系和相互制约的辩证关系。在这个辩证关系中，生产居于首要地位起着主导的决定的作用，一定的生产决定着一定的分配、交换和消费；而分配、交换和消费并不是单纯消极被动地由生产所决定，它们又积极影响和反作用于生产，促进或制约着生产的发展。

对于《资本论》的目的，马克思认为“本书的最终目的就是揭示现代社会的经济运动规律”[①]。资本主义社会的基本经济规律是剩余价值规律，生产剩余价值或赚钱是这个生产方式的绝对规律，而剩余价值规律也就是资产阶级对无产阶级的

①《马克思恩格斯文集》第5卷，北京：人民出版社，2009年，第10页。

剥削规律，体现了资本主义生产关系。恩格斯认为："政治经济学作为一门研究人类各种社会进行生产和交换并相应地进行产品分配的条件和形式的科学——这样广义的政治经济学尚待创造。到现在为止，我们所掌握的有关经济科学的东西，几乎只限于资本主义生产方式的发生和发展：它从批判封建的生产形式和交换形式的残余开始，证明它们必然要被资本主义形式所代替，然后把资本主义生产方式和相应的交换形式的规律从肯定方面，即从促进一般的社会目的的方面来加以阐述，最后对资本主义的生产方式进行社会主义的批判……"[①]可见，《资本论》的目的是揭示资本主义生产关系的发生、发展和灭亡的规律。

二、《资本论》的体系结构

整个四卷《资本论》以剩余价值为中心贯穿全书，是一个不可分割的整体。恩格斯曾说过，"马克思的整本书都是以剩余价值为中心的"[②]。

第一卷《资本的生产过程》，中心是阐述剩余价值是怎样生产出来的；

第二卷《资本的流通过程》，中心是阐述剩余价值的实现问题；

第三卷《资本主义生产的总过程》，中心是阐述剩余价值的分配问题；

第四卷《剩余价值理论》，中心是分析介绍剩余价值的理

---

①《马克思恩格斯文集》第9卷，北京：人民出版社，2009年，第156—157页。

②《马克思恩格斯文集》第9卷，北京：人民出版社，2009年，第221页。

论史。

1.《资本论》第一卷《资本的生产过程》。

《资本的生产过程》主要研究资本直接生产过程中包含的各方面关系，分为七篇二十五章。

在第一篇中，马克思研究了商品和货币，从分析商品开始，阐明商品作为资本主义的经济细胞，包含着资本主义生产关系各种矛盾的萌芽，主要是阐明科学的劳动价值论，为分析剩余价值理论做准备，奠定理论基础。

在第二篇至第六篇中，马克思论述了货币转化为资本、绝对剩余价值的生产和相对剩余价值的生产以及工资等理论，系统地阐明了剩余价值的直接生产过程，主要阐明了剩余价值是怎样被生产出来的。剩余价值理论是马克思政治经济学的核心理论，揭示了资本主义经济制度的本质。

在第七篇中，马克思论述了资本的积累过程，主要阐明了剩余价值的再生产问题，是研究剩余价值转化为资本或资本主义扩大再生产的过程。在本篇的最后，马克思考察了资本的原始积累。

知识链接

★ 资本的原始积累 ★

资本原始积累是通过暴力使直接生产者与生产资料相分离，由此使货币财富迅速集中于少数人手中的历史过程。这个过程发生在资本及与之相适应的生产方式形成前的历史阶段，所以称为“原始积累”。它是资本主义生产方式的前提和起点，对农民土地的剥夺,形成整个原始积累的基础。资本主义生产方式的确立必须具备两个基本条件:(1)出现了大批有人身自由但没有生产资料的劳动者,他们必须靠出卖劳动力为生;(2)大量货币财富集中在少数人手里。

对于资本原始积累的定义,应从以下三个方面来理解。

(1) 新兴的资产阶级和新贵族用暴力的手段迫使小生产者同生产资料分离并积累资本。它一方面使社会生产资料集中到少数人手里,另一方面又使大批生产者转化为雇佣工人,为资本主义生产方式准备了前提条件。英国的圈地运动就是例证。

(2) 用武力征服殖民地,依靠抢劫金银财物、贩卖奴隶等手段来聚敛财富,例如16世纪的奴隶贸易。

(3) 资本积累不同于资本原始积累。通过剥削工人的剩余价值而积累的过程叫作资本积累。资本的原始积累的手段是掠夺,资本积累的手段是剥削。

2.《资本论》第二卷《资本的流通过程》。

《资本的流通过程》共三篇二十一章,主要研究资本的流通过程和剩余价值的实现。在资本的整个运动过程中,资本的生产过程和资本的流通过程是统一的,资本的生产过程必须由资本的流通过程来补充。因此,《资本论》第二卷是第一卷理论逻辑的继续。

在第一篇中,马克思研究了资本的形态变化及其循环。马克思分别分析了资本的三种循环,即货币资本的循环、生产资本的循环和商品资本的循环。产业资本正常运行的条件是所有这三种循环保持统一,并且每一种形式都能顺畅地完成自己的循环,即时间上的继起性和空间上的并存性。

在第二篇中，马克思研究了资本周转，即单个资本的周而复始、不断往复的循环过程。资本周转的中心问题是周转速度，资本周转速度的快慢，对剩余价值的生产和实现有很大关系。固定资本和流动资本的构成是影响资本周转速度的重要因素。马克思还指出：固定资本的寿命，固定资本的周期更新构成危机周期性的物质基础。

知识链接

★ 资本循环和资本周转 ★

资本循环指产业资本从一定的职能形式出发，顺次经过购买、生产、销售三个阶段，分别地采取货币资本、生产资本、商品资本三种职能形式，实现了价值的增值，并回到原来出发点的全过程。

资本周转是指周期性的资本循环。资本的动机在于攫取剩余价值，但剩余价值必须通过资本的循环运动来取得，所以产业资本完成一次循环后，又会马上开始新的循环，这一过程周而复始、连绵不断。从资本在一定形式上的预付起，经过生产过程和流通过程到资本得到增殖并以同样的形式复归止，是产业资本的一次周转。资本处于生产领域的时间，是资本的生产时间，资本处于流通领域的时间叫资本的流通时间，它们共同构成产业资本的周转时间。

在第三篇中，马克思研究了社会总资本的再生产和流通。马克思考察了简单再生产和扩大再生产，并考察了两大部类（生产资料的生产和消费资料的生产）的关系，分析了社会总产品全部得到实现的可能性和条件。

3.《资本论》第三卷《资本主义生产的总过程》。

《资本主义生产的总过程》共七篇五十二章，主要揭示和说明了将资本运动过程作为整体考察时所产生的各种具体形式。主要研究在生产中生产，在流通中实现的剩余价值是怎样在各资本家集团之间进行分配的。

我们知道，在现实生活中，除了野心勃勃的产业资本家要获得产业利润以外，还有贪财好利的商业资本家要攫取商业利润、纸醉金迷的借贷资本家要牟取利息以及坐享其成的大土地所有者要获取地租。这就是剩余价值的分配。用比较通俗、形象的话来说，就是产业资本家要利益均沾，商业资本家要雁过拔毛，借贷资本家要一本万利，大土地所有者要坐地分赃。

在第一篇中，马克思主要分析了剩余价值到利润、剩余价值率到利润率的转化。

在第二篇中，马克思主要考察了利润转化为平均利润、价值转化为生产价格。

在第三篇中，马克思主要阐明了利润率趋向下降的规律及其内在矛盾。

知识链接

★ 马克思的平均利润率规律——一般利润率 ★

马克思的平均利润率规律理论深刻地揭露了资产阶级对整个无产阶级的剥削关系。假定各个生产部门的剥削程度相同，由于资本有机构成和资本周转速度不同，从而等量资本推动不等量的劳动，占有不等量的剩余价值，产品按照价值出售，平均利润率规律的存在以竞争为前提，于是各个生产部门的资本便有着不同的利润率。资本有机构成高和周转速度慢的部门，利润率比较低；资本有机构成低和周转速度快的部门，其利润率则比较高。资本家为了追逐有利的投资场所，总是把资本由利润率较低的部门转移到较高的部门，使各个生产部门的等量资本得到等量利润。那些利润率较高的部门，由于大量资本的涌入，产品数量大大增加，供给超过需求，价格下降，价值转化为生产价格，利润率也随之下降。原先利润率较低的部门，由于资本退出，生产量减少，供给少于需求，价格上涨，利润率也随之提高。这种由资本在各部门间流动所引起的价格涨落和利润率的提高和降低会互相均衡，使不同的利润率平均化为一般利润率。

规律作用使利润率基本趋于一致。平均利润率规律的作用，使各个生产部门的利润率大体上趋于一致，不可能绝对相等。作为从不断波动中得出的、但永远不能确定的平均情况来发生作用。但是从一个较长的时期来看，始终只是以一种极其错综复杂的和近似的方式，各个生产部门的利润率与平均利润率的偏离会相互抵消。

在第四篇中，马克思主要探讨了商品资本和货币资本向商品经营资本和货币经营资本的转化，阐明了商业资本的由来及其特征。

在第五篇中，马克思主要研究了货币资本到生息资本的转化以及相关问题。

在第六篇中，马克思主要论述了资本主义条件下的地租，阐明了地租是土地所有者凭借土地所有权而索取的收入，是土地所有权在经济上的实现形式，探讨了土地价格问题，并叙述了资本主义地租的历史形成过程。

在第七篇中，马克思主要阐明了资本主义制度下各种收入及其来源。

4.《资本论》第四卷《剩余价值学说史》。

《剩余价值学说史》系统地批判了17世纪中叶以后资本主义政治经济学的各派学说，从而论述了剩余价值理论的建立过程。

《资本论》四卷中心突出、结构严密、逻辑清楚，是一个非常完整的科学体系。

三、《资本论》的方法

《资本论》的方法是唯物主义辩证方法。《资本论》第一卷第二版的跋明确地说明了《资本论》研究的方法是唯物辩证法。马克思引证了考夫曼的一段论证指出："这位作者先生把他称为我的实际方法的东西描述得这样恰当，并且在谈到我个人对这种方法的运用时又抱着这样的好感，那他所描述的不正是辩证法吗？"[①]《资本论》的方法，不仅是辩证法的而且是唯物的。马克思说："我的辩证方法，从根本上说，不仅和黑格尔的辩证方法不同，而且和它截然相反。在黑格尔看来，思维过程，即甚至被他在观念这一名称下转化为独立主体的思维过程，是现实事物的创造主，而现实事物只是思维过程的外部表现。我的看法则相反，观念的东西不外是移入人的头脑并在人的头脑中改造过的物质的东西而已。"[②]

考夫曼认为："在马克思看来，只有一件事情是重要的，

---

①《马克思恩格斯文集》第5卷，北京：人民出版社，2009年，第21页。

②《马克思恩格斯文集》第5卷，北京：人民出版社，2009年，第22页。

那就是发现他所研究的那些现象的规律。而且他认为重要的，不仅是在这些现象具有完成形式和处于一定时期内可见到的联系中的时候支配着它们的那个规律。在他看来，除此而外，最重要的是这些现象变化的规律……马克思把社会运动看做受一定规律支配的自然史过程，这些规律不仅不以人的意志、意识和意图为转移，反而决定人的意志、意识和意图……”①

这段话不仅指出了这种方法怎样根据唯物主义的辩证观点来进行研究，还指出了要怎样研究，才好把所研究对象的辩证发展关系表达出来。

《资本论》的研究方法之所以是辩证法，同它的研究观点是唯物主义观点有密切关系。《资本论》的观点是建立在辩证唯物主义基础上的。辩证唯物主义的根本观点，不仅认为世界是物质的，物质是第一性的东西，精神是第二性的东西，实践是认识的基础，而且还认为客观世界的运动和变化，是有其内在的客观规律性，也就是其源于客观世界本身的内在矛盾的又对立、又统一的辩证规律的运动而变化，因而必须按照客观世界的本来面貌及其固有的辩证性质，去认识客观世界和改造客观世界，这就必须运用唯物辩证法去研究客观世界才能成功。实质上，唯物辩证法是客观世界本身所具有的辩证运动规律的反映，这就是客观世界本身的辩证运动规律在人类头脑中的辩证思维过程和科学研究方法。由于《资本论》的研究观点的辩证唯物性，这就决定了它的研究方法必然是唯

①《马克思恩格斯文集》第5卷，北京：人民出版社，2009年，第20—21页。

物辩证法。

唯物辩证法是《资本论》的方法，但是唯物辩证法有许多规律，又有一些具体表现的方法，加上资本主义经济现象是错综复杂、变化多端的，各种变化又有一些规律，特别是他们的变化的规律、发展的规律、由一形态推移转变到另一形态的规律，并不是明明白白摆在那里，因此他还必须根据资本主义性质用各种较为具体的方法，从各种复杂表面现象中抽象出其内在的本质关系、内在联系，并考虑各方面的需要在观念上形成文字表示出来，这就要求用到一些具体的方法，如马克思在第一版序中提到的抽象法，在第二版跋中谈到的叙述方法和研究方法，在《〈政治经济学批判〉序言》中则着重讲了从抽象上升到具体的方法；恩格斯在《卡尔·马克思的〈政治经济学批判〉》中还提出了逻辑与历史一致的方法。但必须说明这些方法都是属于唯物辩证法的，而不是同辩证法相平行的独立的方法。这些具体的方法实际上是马克思主义唯物辩证法在一定特殊的具体场合的具体运用，而不是对它的背离。这些从属的研究方法主要有以下几种。

1. 科学抽象法。科学抽象法就是透过客观事物的外在现象，寻求它的内在本质，把从实践做基础所得到的丰富的感性认识材料，抽去其次要的非本质的东西，而抽取其主要的和本质的实体，借以得到理性认识完成科学研究的方法。马克思说："分析经济形式，既不能用显微镜，也不能用化学试剂。二者都必须用抽象力来代替。"[①]当然，抽象力并不是抽象法，而

①《马克思恩格斯文集》第5卷，北京：人民出版社，2009年，第8页。

只是一种抽象思维的能力，这种思维能力能透过事物的现象找出本质。运用抽象力研究事物进行思维这种方法才是抽象法，可见，抽象法又是需借助于抽象力的一种科学的研究方法。科学的抽象法从复杂的客观对象中抽取其主要的本质的东西，舍弃其次要的非本质的东西，以此得出的结论更加深刻、更加安全、更加真实地反映了客观事物，如关于产品价值的研究，关于绝对剩余价值和相对剩余价值的研究都用了科学抽象法。

2. 从抽象上升到具体的方法。从抽象上升到具体的方法是建立在抽象法的基础之上的，它实质上是为了建立体系而将辩证唯物主义的叙述方法运用于对客观经济事物的辩证逻辑过程的科学方法。辩证逻辑是侧重把唯物辩证法运用于思维领域而自觉地用辩证法进行思维。思维首先从大量事实中抽象出本质的东西来，形成概念和范畴，然后再复制出具体。从抽象上升到具体的方法，仅是思维掌握具体，把它当作一个精神上的具体复制出来的方法。从《资本论》的体系结构上可以清楚地看出这一方法的运用：第一卷舍弃流通、分配，专门研究资本的生产过程；第二卷在此基础上研究流通，说明剩余价值的实现问题，加上了循环周转和资本主义的再生产；第三卷则上升到社会表面揭示和说明资本运动过程作为整体考虑时所产生的各种具体形式，研究利润、利息、地租等剩余价值分割的具体形式。

3. 正确地运用研究方法和叙述方法。马克思说："当然，在形式上，叙述方法必须与研究方法不同。研究必须充分地占有材料，分析它的各种发展形式，探寻这些形式的内在联系。只有这项工作完成以后，现实的运动才能适当地叙述出来。这点一旦做到，材料的生命一旦在观念上反映出来，呈现在我们面前的就好像是一个先验的结构了。”①马克思在《资本论》中正是运用科学的研究方法，以资本主义生产方式的各个经济领域和各种经济现象为目标，充分利用丰富的具体材料，从事极度精深的科学分析，透过表面现象深入内在本质，舍去次要的和表面的因素，总结为高度理论概括的资本主义经济的理论体系和逻辑概念，然后以此为基础，应用叙述方法正确地阐述资本主义的全部经济范畴和经济规律。

4. 逻辑和历史相一致的方法。按照从抽象上升到具体的方法，是循着从简单到复杂、从低级到高级的辩证逻辑过程开展的。这与资本主义经济社会的客观经济关系发展的历史进程大体一致。而且逻辑思维过程不过是对历史事物的概括反映，因此就意味着逻辑思维过程和历史发展过程大体相一致。恩格斯说：“历史从哪里开始，思维进程也应当从哪里开始，而思想进程的进一步发展不过是历史过程在抽象的、理论上前后一贯的形式上的反映；这种反映是经过修正的，然而是按照现实的历史过程本身的规律修正的……”②

5. 分析与综合相统一的方法。所谓分析法，是指人们对客观事物统一体的内在矛盾、矛盾对立的两个方面进行分别研究，分清其特点、主次关系和矛盾运动的分析方法。综合法是指人们通过对客观事物内在矛盾及矛盾对立面的斗争和运动的分析后，再将它们结合起来，统一的全面考虑的方法。分

---

①《马克思恩格斯文集》第5卷，北京：人民出版社，2009年，第21—22页。

②《马克思恩格斯文集》第2卷，北京：人民出版社，2009年，第603页。

析是进行综合的前提，而综合则是分析的结果，而分析必须有综合，综合时又必须有分析。这是唯物辩证的分析与综合相统一的方法。

以上这些方法的运用又是相互联系结合在一起的。

《资本论》中马克思所运用的唯物辩证法，包括这两个阶段，第一阶段是从客观事物的具体到抽象的阶段，也就是详细地占有丰富的材料、进行科学抽象和研究的阶段，这一阶段要运用正确的研究方法，从大量的事实中分析、综合抽象出事物的本质。这里有运用分析综合的方法、抽象法等，通过这些得到感性知识到理性知识的概念与理论。第二阶段是“从抽象上升到具体”的阶段，也就是说从简单的概念出发，深入研究更复杂、更全面和更为具体的范畴，这一阶段是循着从简单到复杂、从低级到高级的辩证逻辑过程开展的，而逻辑思维又不外是对历史事物的概括反映。因此这一阶段在运用正确的叙述方法时又要用逻辑和历史相一致的方法。

总之，《资本论》作为一部划时代的经济学巨著，不仅在理论上是一个突破，而且在方法上也是突破，正确地运用了唯物辩证法分析资本主义的运动规律——剩余价值规律，揭示了资本主义的发生、发展和灭亡的必然规律。

知识链接

★ 唯物辩证法 ★

唯物辩证法，是一种研究自然、社会、历史和思维的哲学方法；是辩证法的三种基本历史形式之一；是由马克思首先提出，经其他马克思主义者(比较突出的如恩格斯、列宁、斯大林、毛泽东等)发展而形成的一套世界观、认识论和方法论的思想体系;是马克思主义哲学的核心组成部分。唯物辩证法 认为物质世界是普遍联系和不断运动变化的统一整体;辩证规律是物质世界自己运动的规律;主观辩证法或辩证的思维是客观辩证法在人类思维中的反映。是最全面、最丰富、最深刻的发展学说。它包括三个基本规律(对立统一规律、质量互变规律和否定之否定规律)以及现象与本质、原因与结果、必然与偶然、可能与现实、形式与内容等一系列基本范畴,而对立统一规律为核心。它是宇宙观,又是认识论和方法论。

延伸阅读

1. 马克思:《资本论》,北京:人民出版社,2018年。

2. 魏埙:《〈资本论〉的理解与启示》,天津:南开大学出版社,1984年。

深度思考

1. 试述《资本论》的研究对象。
2. 试述《资本论》的体系结构。
3. 试述《资本论》的方法。

Reading & Interpretation
大家写小书·马恩经典著作新读

第 三 章

《资本论》的理论意义、革命意义与历史意义

马克思是人类历史上伟大的革命家和科学家，也是伟大的战士和学者，还是科学共产主义的奠基人。他的终生事业，就是共产主义事业。一方面，他把从事工人运动、组织无产阶级政党、参加和领导推翻资本主义制度的革命斗争作为自己的终生事业。正如恩格斯所说："他毕生的真正使命，就是以这种或那种方式参加推翻资本主义社会及其所建立的国家设施的事业，参加现代无产阶级的解放事业，正是他第一次使现代无产阶级意识到自身的地位和需要，意识到自身解放的条件。"[①]另一方面，他"还把对所谓社会问题的科学研究，即对政治经济学的批判作为自己的终生事业"[②]。他把这两方面的活动和成就紧密地结合成一体，就产生了《资本论》。《资本论》既是马克思理论研究的成果，又是工人运动的经验总结。

一、马克思是工人阶级的革命导师

马克思的一生，是革命的一生，战斗的一生。他始终站在无产阶级革命斗争的最前列。他既是工人阶级的忠诚的、积极的战士，又是工人阶级的天才的革命领袖和导师。

1. 青年时代反对封建专制制度的马克思。

马克思的学生时代，正是德国资产阶级革命的前夜。当时，德国封建贵族把持着国家政权，实行专制统治，严重地妨碍了统一的民族市场的形成和资本主义经济的发展。在这种封建专制制度下，人民群众被剥夺了一切政治权利，工人阶级深受封建主义和资本主义的双重压迫。马克思在柏林大学读

①《马克思恩格斯文集》第3卷，北京：人民出版社，2009年，第602页。

②《马克思恩格斯全集》第16卷，北京：人民出版社，1964年，第407—408页。

书期间，注重研究黑格尔哲学，并参加了青年黑格尔派的博士俱乐部。马克思虽然是俱乐部中最年轻的成员，却受到其他成员的尊敬。

大学毕业以后，马克思本来打算到大学当教师。但是，由于威廉四世继任普鲁士国王后实行最伪善、最狡猾和更加反动的封建专制统治，迫使马克思放弃了这个想法。他把“批判的热情”转向批判德国现存的社会制度。1841年1月中旬至2月初，马克思写出了第一篇政论文章——《评普鲁士最近的书报检查令》。他以自己特有的政治敏感和对事物的深刻洞察，揭穿了新书报检查令的欺骗性和虚伪性，把攻击的矛头对准了封建专制制度，同普鲁士反动政府展开了短兵相接的斗争。

从1842年4月起，马克思开始为《莱茵政治、商业和工业日报》（简称《莱茵报》）撰稿。从10月15日起，他担任了该报的主编。在他的主持下，《莱茵报》越来越具有鲜明的民主主义倾向。这期间，马克思写了三篇评论文章，即《关于林木盗窃法的辩论》《摩塞尔记者的辩护》等文。由于《莱茵报》的影响越来越大，从1843年4月1日起，反动政府禁止《莱茵报》的出版。在这种情况下，马克思决定抛弃“这种桎梏下的生活”，于1843年3月17日发表了退出编辑部的声明。

2. 伟大的无产阶级革命家马克思。

《莱茵报》被查封以后，马克思已经看透普鲁士政府的反动本质，知道自己在德国无法再干什么事情，于是决定离开祖国，“必须为真正思维着的独立的人们寻找一个新的集结地点”[①]。

①《马克思恩格斯文集》第10卷，北京：人民出版社，2009年，第7页。

经过多方面的考虑，马克思于1843年10月底到达巴黎。在那里，他经常访问工人，参加旅居法国的德国工人的会议，出席法国无产者的秘密俱乐部，了解他们的生活和斗争。1844年2月，马克思与卢格合办的《德法年鉴》出版了第1—2期合刊。马克思在《德法年鉴》上发表了《论犹太人问题》和《〈黑格尔法哲学批判〉导言》等文章。这些文章表明，他已经是伟大的无产阶级革命家，他的思想已经完成了从唯心主义到唯物主义、从革命民主主义到共产主义的两个转变。用列宁的话说，马克思已经成为马克思了。

马克思在巴黎期间经常同工人运动活动家交换意见，参加工人组织内部的各种讨论，在工人的集会上发表演说，积极宣传自己的共产主义思想和理论，帮助工人克服空想社会主义的影响。马克思还利用当时德国民主派流亡者在巴黎办的《前进报》，同德国反动专制制度作斗争。马克思是《前进报》的撰稿人，在他的影响下，《前进报》成了反对普鲁士专制制度的最激进的民主派报纸。由于普鲁士政府的唆使，法国政府于1845年1月将马克思当作一名危险的革命家驱逐出巴黎。

3. 与恩格斯一起写作《共产党宣言》的马克思。

马克思于1845年2月初移居布鲁塞尔。1845年4月，恩格斯也从德国迁来这里。在这里，他们同各国革命知识分子和先进工人建立了广泛的联系，并在他们中间积极传播科学共产主义思想。1846年2月，马克思和恩格斯创立了布鲁塞尔共产主义通讯委员会。在布鲁塞尔期间，马克思和恩格斯开展了正义者同盟的改组工作。1847年6月，在正义者同盟第一次代表大会上，正义者同盟更名为共产主义者同盟。会后，马克思和恩格斯为从思想上、组织上巩固和发展共产主义者同盟做了大量工作。8月底，马克思和恩格斯在布鲁塞尔成立了德意志工人协会。马克思向会员们发表了一系列政治经济学讲演，这就是后来发表在《新莱茵报》上的《雇佣劳动与资本》。共产主义者同盟第二次代表大会完成了同盟的创建工作。马克思和恩格斯受大会委托起草一个准备公布的周详的理论和实践的纲领，这就是科学共产主义的第一个纲领性文件——《共产党宣言》。

知识链接

★《共产党宣言》★

《共产党宣言》（又译《共产主义宣言》）是马克思和恩格斯为共产主义者同盟起草的纲领。全文贯穿马克思主义的历史观，是马克思主义诞生的重要标志。1848年2月21日，《共产党宣言》在伦敦第一次以单行本问世。2月24日，《共产党宣言》正式出版。《共产党宣言》第一次阐述科学社会主义理论，指出共产主义运动已成为不可抗拒的历史潮流。《共产党宣言》是一部科学洞见人类社会发展规律的经典著作，是一部充满斗争精神、批判精神、革命精神的经典著作，是一部秉持人民立场、为人民大众谋利益、为全人类谋解放的经典著作。

在《共产党宣言》中，马克思和恩格斯系统、集中地阐述了他们的观点，即消灭私有制，推翻资产阶级的统治，由无产阶级夺取政权，然后一步一步地夺取资产阶级的全部资本，把一切生产工具集中在国家即组织成为统治阶级的无产阶级手里，并且尽可能快地增加生产力的总量。而且，共产党人不屑隐瞒自己的观点和意图，他们的目的只有用暴力推翻全部现存的社会制度才能达到。

4. 亲自参加革命运动的马克思。

当1848年革命风暴席卷欧洲的时候,马克思和恩格斯全力以赴地投入到这一伟大斗争。1948年3月5日,马克思到达巴黎。马克思和沙佩尔、莫尔、亨·鲍威尔、成·沃尔弗等人在巴黎组成了共产主义者同盟新的中央委员会,由马克思任主席。1848年4月7日,马克思和恩格斯从巴黎回国,直接参加和领导了德国的革命运动。由他们筹办的《新莱茵报》,于1848年6月1日诞生。在当时,“没有一家德国报纸——无论在以前或以后——像《新莱茵报》这样有威力和有影响,这样善于鼓舞无产阶级群众”[①]。马克思在主编《新莱茵报》期间,还积极参加并领导了科伦工人联合会、科伦民主协会以及一些群众的集会、游行,同他们并肩战斗。《新莱茵报》停刊后,马克思、恩格斯积极参加了德国维护帝国宪法的运动。随着1848年革命的失败,马克思结束了他在这一阶段的革命斗争。

5. 领导国际工人协会时期的马克思。

1848—1849年革命失败以后的十多年,马克思在贫困的流亡生活中呕心沥血,为无产阶级锻造战斗的理论武器。随后,他迎来了一生革命实践活动的最光辉的阶段——国际工人协会时期。

19世纪50年代末60年代初,欧洲各国的工人运动重新高涨。1864年9月26日,在伦敦圣马丁堂,英国工人为声援波兰

①《马克思恩格斯文集》第4卷,北京:人民出版社,2009年,第12页。

人民召开群众大会，经过热烈讨论，决定成立世界无产阶级第一个国际组织——国际工人协会(即第一国际)。马克思看到当时欧洲工人的力量正在壮大，建立一个包括欧洲先进国家无产阶级在内的国际性革命组织的条件已经成熟。于是，他打破惯例，接受了大会的邀请，并被选进国际工人协会的总委员会。从国际工人协会成立的第一天起，马克思就为各国无产阶级在科学共产主义原理基础上的真正联合，展开了繁忙而艰辛的工作。

马克思在国际工人协会的第一件事情就是为协会起草首批纲领性的文件《国际工人协会成立宣言》和《协会临时章程》。在马克思和恩格斯主持下的第一国际，在欧美18个国家都建有支部，会员多达40万人。马克思在国际工人协会里最光辉的业绩，是在巴黎公社期间领导总委员会所进行的英勇卓绝的斗争。当巴黎公社因遭到法国内外反动派的联合镇压而失败后，马克思毅然肩负起公社事业捍卫者的重任。从1864年9月28日第一国际在伦敦圣马丁堂宣布成立，到1876年7月15日在美国费拉德尔非亚城(费城)召开最后一次代表会议正式宣告解散，马克思以巨大的精力积极组织并且领导了第一国际的五次代表大会和两次代表会议。马克思作为第一国际的缔造者、领袖和灵魂，充分表现出了善于把科学共产主义理论与无产阶级革命实践相统一、坚强革命意志与严肃科学态度相统一、大无畏的革命胆略与最巧妙的斗争艺术相统一的优秀品质。

6. 战斗到生命最后一息的马克思。

在1872年9月的第一国际海牙代表大会上，根据恩格斯的提议，决定把总委员会驻地迁往纽约。总委员会迁往纽约以后，马克思和恩格斯便不再直接参加第一国际的领导工作。但是，这并不意味着他们不再从事第一国际的事业。9月8日即海牙代表大会的后一天，马克思和海牙代表大会上的大多数代表一起参加了阿姆斯特丹支部召开的工人群众大会，并在大会上发表了演说，表示不会退出国际，将一如既往地把自己的余生贡献出来。第一国际解散以后，马克思和恩格斯“所起的团结的作用也没有停止。相反，他们作为工人运动精神领导者所起的作用，可以说是不断增长的”[①]。

二、《资本论》是工人阶级的圣经

《资本论》对马克思来说，是他的终生事业的纪念碑；对世界工人阶级来说，则是他们的圣经。1886年11月5日，恩格斯在《资本论》第一卷英文版序言中写道：“《资本论》在大陆上常常被称为‘工人阶级的圣经’。任何一个熟悉工人运动的人都不会否认：本书所作的结论日益成为伟大的工人阶级运动的基本原则，不仅在德国和瑞士是这样，而且在法国，在荷兰和比利时，在美国，甚至在意大利和西班牙也是这样；各地的工人阶级都越来越把这些结论看成是对自己的状况和自己的期望所作的最真切的表述。”[②]“圣经”只是一个比方，但马克思不是救世主，而是工人阶级的导师，《资本论》也不是宗教教条，而是工人阶级的战无不胜的理论武器。

1.《资本论》的理论萌芽及其对先进工人的影响。在《资

---

①《列宁全集》第2卷，北京：人民出版社，2013年，第11页。

②《马克思恩格斯文集》第5卷，北京：人民出版社，2009年，第34页。

本论》正式出版之前，马克思和恩格斯就已经对相关的基本原理和结论进行了宣传，以教育和训练无产阶级。

实际上，早在1847年7月出版的《哲学的贫困》和1848年2月出版的《共产党宣言》中，就已经有《资本论》的理论思想的萌芽。马克思在1880年3月为《哲学的贫困》写的引言中说，“是因为该书包含了经过20年的研究之后，在《资本论》中阐发的理论的萌芽。所以，阅读《哲学的贫困》以及马克思和恩格斯于1848年发表的《共产党宣言》，可以作为研究《资本论》和现代其他社会主义者的著作的入门”[①]。那时候，马克思已经明确了自己的新的历史观和经济观的基本点。

1847年12月14日至30日，马克思在布鲁塞尔德国工人协会作了几次关于政治经济学的讲演，讲稿以《雇佣劳动与资本》为题，于1849年陆续发表在《新莱茵报》上。从1848年1月—1965年6月，马克思作了一系列报告和演讲：1850年6—8月间，马克思向工人作政治经济学的报告；1859年10—11月间，以《政治经济学批判》为题材在工人小组中讲授政治经济学；1865年6月20—27日，在第一国际总委员会会议上作了关于工资、价格和利润的报告，用通俗的形式阐发了尚未出版的《资本论》第一卷中的重要原理。马克思的经济学说，第一次向工人阶级揭示出他们受压迫、剥削和奴役的真正原因，从而科学地阐明了工人阶级的历史地位，教育和训练了工人阶级的第一代先进分子，使工人阶级自觉意识到并真正成为能够埋葬旧制度、建立新制度的力量。马克思关于《资本论》基本

①《马克思恩格斯全集》第25卷，北京：人民出版社，2001年，第425页。

原理的宣传，启迪工人运动由单从经济斗争走向政治斗争。

2.《资本论》和第一国际。第一国际是1864年9月28日成立的。当时国际工人运动已经有了相当的发展，如建立了工会组织，积累了为提高工资和规定正常工作日而斗争的丰富经验等。但是，另一方面，各种小资产阶级思想对工人运动还有不小的影响，如英国的工联主义，法国、比利时、瑞士的蒲鲁东主义，德国的拉萨尔主义，等等。因此，马克思在为第一国际起草成立宣言和章程时，就遇到一个很大的困难：既要充分体现无产阶级的阶级利益，又要能被各国目前水平的工人所接受。马克思在给恩格斯的信中写道："要把我们的观点用目前水平的工人运动所能接受的形式表达出来，那是很困难的事情……这就必须做到实质上坚决，形式上温和。"①

《资本论》第一卷的出版（1867年9月）和宣传，对于在第一国际内部确立马克思主义的社会主义纲领，具有十分重大的意义。第一卷出版后，立即得到工人运动的先进代表人物如贝克尔、李卜克内西、秋慈根、库格曼、列斯纳、埃卡留斯、拉法格等的热烈拥护。他们以《资本论》为指南，促进第一国际内部革命力量的团结，帮助工人阶级摆脱各种小资产阶级思想的影响。

《资本论》第一卷对第一国际的影响，最突出地表现在1868年9月11日在布鲁塞尔召开的国际的代表大会上。大会一致通过了一项专门的决议，热烈号召各国工人学习《资本论》。决议指出："我们，布鲁塞尔国际工人代表大会的德国代

①《马克思恩格斯文集》第10卷，北京：人民出版社，2009年，第216页。

表，建议所有国家的工人都来学习去年出版的卡尔·马克思的《资本论》；呼吁协助把这部重要著作翻译成目前还没有翻译出来的各种文字。马克思的功绩是不可估量的，他是经济学家当中对资本和它的组成部分作出科学分析的第一个人。”①

《资本论》的出版，极大地鼓舞了先进的工人分子，武装和培养了一代无产阶级革命家和工人运动的领袖。1867年10月8日，弗里德利希·列斯纳写信对马克思说，他甚至为失业而感到高兴，因为这使他有时间来阅读和研究《资本论》。另一位参加过1848年革命的老战士、第一国际瑞士支部的创造者约·贝克尔也为《资本论》的出版感到异常高兴。他在给马克思的信中说，《资本论》对自己来说是件圣物，对世界来说是个宝库。他在写给列斯纳的信中说，《资本论》是我们的剑，是我们的甲，是进攻和防守的武器。倍倍尔是受到《资本论》巨大影响的德国工人运动的另一位著名领袖。他通过学习和掌握《资本论》，很快成长为一个成熟的马克思主义者。1869年3月在北德意志联邦国会上讨论新的营业规章时，当时身为议员的倍倍尔发表了精彩的演说。1869年，倍倍尔在同小资产阶级人民党机关报的负责人弗雷塞进行的一场公开辩论中，已经能够很好地运用《资本论》的科学理论，分析工人运动中的现实问题，有力地驳斥了弗雷塞为私有财产不可侵犯所作的辩护，捍卫了第一国际关于土地公有制问题的决议。在美国，《资本论》对工人先进分子也产生了深刻影响。

在第一国际时期，工人阶级在斗争中直接以《资本论》的

①《马克思恩格斯全集》第32卷，北京：人民出版社，1974年，第736页。

原理为武器，同资产阶级进行斗争。例如，19世纪60年代末和70年代初，美国开展了广泛的争取八小时工作日运动，罢工浪潮遍及全国。当时，著名的争取八小时工作制运动的领袖艾拉斯图尔特曾经读过《资本论》，并受到很深的影响。1871年9月13日，在第一国际纽约支部组织的有2万多名工人参加的争取八小时工作的示威游行斗争中，他们把《资本论》中的《工作日》那一章的精辟论述摘印成传单，在游行中散发。传单引用了《资本论》中的话，“我卖给你的商品和其他的普通商品不同，它的使用可以创造价值，而且创造的价值比它本身的价值大”①，我“要求得到我的商品的价值”②。

在巴黎公社之后，在国际内部展开了马克思主义者同无政府主义者的斗争。在斗争中，《资本论》是马克思主义者的战斗武器。

总之，在第一国际时期，《资本论》得到了比较广泛的传播，培养和教育一批工人阶级的先进骨干，使得他们在国际的活动中发挥了很好的作用。

3.《资本论》和无产阶级政党的建立。《资本论》第一卷的出版和宣传，对于无产阶级政党的建立起了重大作用。在《资本论》第一卷出版后不久，即1869年8月，世界上第一个独立的无产阶级的政党——德国社会民主工党在爱森纳赫代表大会上建立了。这时，广大工人群众虽然还不能掌握《资本论》的全部内容，但是《资本论》的基本原理已为许多工人所了解。恩格斯指出：“即在1867年，马克思的《资本论》问世了，从

①《马克思恩格斯文集》第5卷，北京：人民出版社，2009年，第270页。

②《马克思恩格斯文集》第5卷，北京：人民出版社，2009年，第271页。

此道地的拉萨尔主义便开始衰落。《资本论》中所阐述的观点越来越成为德国全体社会主义者——拉萨尔派也不例外——的共同财富。”①

到19世纪80年代中期,《资本论》的基本原理在许多社会主义的工人政党的纲领中得到了较好的反映,如1878年波兰的社会主义者的纲领、1882年波兰的第一个工人阶级政党的纲领、1880年匈牙利工人党的纲领等等。这里特别要指出的,是法国工人党的纲领。1880年5月,盖得抵达伦敦,在那里同马克思、恩格斯和拉法格一起共同制订了法国工人党纲领。在1884年公布的俄国“劳动解放社”纲领中,《资本论》的原理得到了很好的体现。随着欧美各国社会主义政党的建立,马克思主义在国际工人运动中占据了主导地位,建立新的共产国际的条件日益成熟。在恩格斯的倡导下,1889年7月在巴黎召开了第二国际成立大会。第二国际在初期起了很好的作用,有力推动了工人运动的发展,加强了各国无产阶级政党之间的联系,促进了革命力量的壮大和团结。但是,在恩格斯逝世后,以伯恩施坦为代表的修正主义思潮日益泛滥,导致了第二国际的衰落和灭亡。在恩格斯逝世以后,列宁成了国际无产阶级的伟大领袖,亲手创建的布尔什维克党成了各国工人阶级政党的榜样。

三、科学社会主义从理论变为现实

1867年,马克思在《资本论》第一卷中作出了光辉的结论:

---

①《马克思恩格斯文集》第4卷,北京:人民出版社,2009年,第427页。

“资本主义私有制的丧钟就要响了。剥夺者就要被剥夺了。”[①] 50年后，资本主义私有制的丧钟首先在俄国敲响了，剥夺者被剥夺了。随着俄国十月革命的胜利和世界上第一个社会主义国家的建立，科学社会主义开始从理论变为现实。

1. 列宁为捍卫和发展《资本论》而斗争。

列宁是研究《资本论》、捍卫《资本论》和发展《资本论》的光辉典范。他终生不渝地热爱马克思和恩格斯。为了捍卫马克思主义和《资本论》，他同俄国民粹主义、“合法马克思主义”、孟什维主义和第二国际机会主义进行了坚决的斗争。1917年1月30日，他在一封信中写道：“我还在‘热恋着’马克思和恩格斯，任何对他们的恶意非难，我都不能漠然置之。不，这是真正的人！应当向他们学习。我们不应该离开这个立场。社会沙文主义者和考茨基派都离开了这个立场。”[②]

在1888—1889年间的整个冬天，当时还不到20岁的列宁在喀山参加了马克思主义小组，并出色地钻研学习了《资本论》。19世纪90年代初，列宁在萨马拉、彼得堡的工人小组中宣传《资本论》。1905—1907年，列宁直接参与了《资本论》俄文新版本的准备工作，亲自校订了第二卷的大约三个印张。1911年，列宁根据《资本论》的内容在巴黎“社会科学讲习班”和龙奉姆党校为集中在那里的俄国党的工作人员系统地讲授政治经济学。

为了从理论上粉碎民粹派头子米海洛夫斯基对马克思主义特别是对《资本论》的攻击，列宁于1894年写成了《什么是

---

①《马克思恩格斯文集》第5卷，北京：人民出版社，2009年，第874页。

②《列宁全集》第47卷，北京：人民出版社，1990年，第534页。

“人民之友”以及他们如何攻击社会民主主义者?》这部被评价为俄国马克思主义政党的真正的宣言的著作。列宁驳斥了米海洛夫斯基的所谓马克思究竟在哪一部著作中叙述了唯物主义历史观的浅薄而幼稚的非难。他说:“他读了《共产党宣言》,竟看不出那里对现代制度(法律制度、政治制度、家庭制度、宗教制度和哲学体系)的解释是唯物主义的……他读了《哲学的贫困》,竟看不出那里对蒲鲁东社会学的剖析,是从唯物主义观点出发的……他读了《资本论》,竟看不出这是用唯物主义方法科学地分析一个(而且是最复杂的一个)社会形态的范例,是大家公认的无与伦比的范例。”[①]列宁在作了这种有力的驳斥以后,就阐述了马克思在《资本论》中是如何从头至尾贯彻辩证唯物主义的。

列宁在《俄国资本主义的发展》一书中,依据《资本论》的原理和方法,对革命前俄国资本主义的发展作了精辟分析,回答了俄国资本主义的国内市场是怎样形成的问题,从而最后完成了粉碎民粹主义的任务。

列宁的伟大功绩,尤其表现在他应用《资本论》的原理和方法,对帝国主义各种矛盾所作的精辟分析和得出的科学结论。他在1916年7月所写的《帝国主义是资本主义的最高阶段》(即《帝国主义论》)是一部具有划时代意义的名著。《帝国主义论》依据《资本论》的原理和方法,揭示了新阶段的资本主义——帝国主义的经济实质即资本主义的垄断。列宁依据了马克思和恩格斯的著作,首先是马克思的主要著作《资本

①《列宁全集》第1卷,北京:人民出版社,2013年,第112页。

论》。但是，他不拘泥于马克思、恩格斯的现成的个别的结论，而是从对新的实际情况的科学分析出发。正因为这样，他才能第一个作出了资本主义发展落后的国家有可能首先取得无产阶级革命胜利的结论。他指出，由于资本主义已发展到帝国主义阶段，资本主义发展的不平衡的政治、经济条件，使得资本主义的整个链条有可能在其薄弱的环节首先突破，因此，无产阶级革命很可能不是在那些先进的国家首先胜利，而有可能在资本主义不发达、暂时还落后的国家夺得胜利；有可能不是在几个比较先进的资本主义国家同时取得胜利，而是在一个资本主义国家获得胜利。列宁坚信这种理论的正确性，并以无产阶级革命家的伟大气魄，领导布尔什维克党把这种理论付诸实践。

知识链接

★ 列宁的《帝国主义论》★

《帝国主义论》是对马克思《资本论》的继承和发展，写于1916年1—6月，出版于1917年9月。在这部著作中，列宁根据马克思主义基本原理，总结了《资本论》问世后半个世纪以来资本主义的发展，指明资本主义已经发展到一个新的阶段——帝国主义阶段。在对帝国主义基本经济特征所作的分析的基础上，列宁给帝国主义下了一个科学的定义："帝国主义是发展到垄断组织和金融资本的统治已经确立、资本输出具有突出意义、国际托拉斯开始瓜分世界、一些最大的资本主义国家已把世界全部领土瓜分完毕这一阶段的资本主义。"[1]最后，列宁揭示了帝国主义的历史地位。他在全书的结尾着

①《列宁全集》第27卷，北京：人民出版社，1990年，第401页。

重指出："根据以上对帝国主义的经济实质的全部论述可以得出一个结论，即应当说帝国主义是过渡的资本主义，或者更确切些说，是垂死的资本主义。"[①]序言最后以当初写作此书时不能使用的明确语言宣布："帝国主义是无产阶级社会革命的前夜。"[②]列宁的这个著名论断，可以看作是全书的总结论。

列宁的帝国主义理论是对马克思主义政治经济学和无产阶级革命理论的新发展，根据这一理论，列宁提出了社会主义可能首先在一国或几国胜利的新结论，为俄国十月革命的胜利奠定了理论基础。列宁的帝国主义论也为世界无产阶级和劳动人民提供了正确认识帝国主义的本质和发展规律、进行革命斗争的强大思想武器。它的一些重要论点已为两次世界大战的历史所证实。

2. 第一次世界大战和俄国十月革命的胜利。

由于帝国主义内部各种矛盾的激化，终于爆发了第一次世界大战。帝国主义各国发动第一次世界大战的目的是为了重新瓜分殖民地和争夺世界霸权。战争从1914年7月开始，延续了4年之久，给各国人民带来了巨大的痛苦和灾难。各国人民的反战运动日益高涨，工人掀起了一次又一次的罢工浪潮，殖民地人民的争取民族解放的斗争蓬勃兴起。所有这一切都预示着革命风暴即将来临。

1917年，正当帝国主义世界大战还在激烈进行的时候，列宁领导国际无产阶级进行了十月革命，一举推翻了沙皇的反动统治，建立了世界上第一个社会主义国家。十月革命的胜

①《列宁全集》第27卷，北京：人民出版社，1990年，第437页。

②《列宁全集》第27卷，北京：人民出版社，1990年，第330页。

利开创了人类历史的新纪元，开创了无产阶级世界社会主义革命的新纪元，开创了殖民地半殖民地解放运动的新纪元，开创了无产阶级联合一切被压迫民族反对帝国主义、殖民主义的新纪元。在俄国革命的影响下，德国、奥匈帝国、英国、法国、罗马尼亚、意大利、比利时、荷兰、瑞典、瑞士、西班牙、葡萄牙等国，都相继爆发了大规模的罢工斗争、群众集会、示威游行和武装起义。这说明，欧洲的工人运动已经开始从纯粹议会的、合法的斗争形式过渡到直接的、群众性的革命行动。

十月革命的胜利，使马克思和恩格斯从19世纪40年代以来所制定的科学社会主义理论第一次变成了现实。无产阶级在一个最大的资本主义国家推翻了地主资产阶级的统治，建立了无产阶级专政，第一次上升到统治的地位。十月革命的伟大实践证明，马克思、恩格斯在《共产党宣言》《资本论》等光辉著作中所揭示的基本原理和结论无比正确，是各国工人阶级都必须遵循的。

苏联人民在列宁、斯大林和布尔什维克党的领导下，粉碎了14个帝国主义国家的武装干涉和白匪的叛乱，胜利地实现了国家工业化和农业集体化，以大大超过了当时一切资本主义国家的速度迅速地发展国民经济，大大提高了人民群众的物质文化生活水平。社会主义建设的伟大胜利，为苏联奠定了雄厚的物质基础和强大的国防力量，从而使苏联在第二次世界大战中成为反法西斯侵略战争的主力，取得了反法西斯战争的伟大胜利，为人类作出了不朽的贡献。

3. 第二次世界大战和一系列社会主义国家的建立。

十月革命的伟大胜利，帝国主义阵线的被突破，标志着资本主义总危机的开始，帝国主义固有的各种矛盾进一步尖锐化了，帝国主义统治的地盘缩小了。帝国主义国家之间争夺销售市场、原料产地和势力范围的斗争加剧了1929—1933年爆发了资本主义发展史上最严重的一次世界经济危机。这次危机延续了4年才结束。但是，在危机之后出现的不是通常的经济复苏和繁荣，而是长期的经济萧条。1938年，当大部分资本主义国家的经济尚未恢复到危机以前的水平时，一场新的经济危机又来临了。

为了摆脱严重的经济危机，一些资本主义国家走上了对内实行法西斯专政、对外实行侵略的道路，而另一些资本主义国家则开始发展国家垄断资本主义。但是，所有这些政策不仅没有使它们摆脱危机，反而导致了帝国主义各种矛盾的尖锐化，最终引起了第二次世界大战的爆发。

第二次世界大战的性质，起初是帝国主义侵略战争，后来变成了反法西斯主义战争。战争的结果是德、意、日法西斯惨败了，帝国主义的力量大大削弱了。社会主义的苏联胜利了，欧亚许多国家相继脱离了资本主义体系，走上了社会主义道路。中国人民于1949年10月1日建立了中华人民共和国。

中国革命的胜利，是十月革命之后国际工人运动中又一重大的历史事件。它再次雄辩地证明了《资本论》的基本原理和结论的正确性和生命力。马克思主义在中国的传播及其与中国革命实际相结合的直接结果，是毛泽东思想的形成。在中国共产党内，毛泽东同志是善于创造性地把马克思列宁主义运用到中国革命实际中来的光辉典范。以毛泽东同志为主要代表的中国共产党人，依据马克思主义的基本原理，不断地对中国革命的实践作出理论性的概括，逐步形成了适合中国国情的，指引中国革命走向胜利的指导思想——毛泽东思想。

毛泽东思想形成和发展的过程，就是马克思主义日益与中国革命实际相结合并取得胜利的过程。从五四运动开始的中国新民主主义革命，在中国共产党和毛泽东同志的领导下，经过北伐战争、土地革命战争、抗日战争和解放战争，终于在1949年取得了辉煌的胜利，建立了中华人民共和国，使《资本论》的革命结论在中国的大地上变成了现实。中国革命的胜利，是对国际无产阶级的解放事业的一个重大贡献，也是在实践和发展马克思的《资本论》方面的一个重大贡献。

四、《资本论》的实践意义

《资本论》问世100多年来，在理论和实践两个方面都经受住了历史的考验，显示了强大的生命力。当前，世界的形势正经历百年未有之大变局。资本主义旧世界出现了许多新情况，社会主义社会的发展也呈现出许多新特点。但是，《资本论》的基本原理并没有“过时”，《资本论》的立场、观点和方法并没有“过时”。《资本论》仍然是矗立云霄的航灯，照耀着世界无产阶级的社会主义革命和社会主义建设的航程。我们坚信，随着历史的发展和世界无产阶级的觉悟的提高，必将有越来越多的人将会学习、研究《资本论》，把《资本论》的革命结论变成生活的现实。

1.《资本论》的基本理论始终闪耀着真理的光芒。

马克思说过，政治经济学所研究的材料的特殊性，会把人们心中最激烈、最卑鄙、最恶劣的感情唤起，把代表私人利益的复仇女神召到战场上来。《资本论》这部具有强烈的阶级性的科学巨著的出现，必然使资产阶级的经济学家恨之入骨。他们出于维护资产阶级利益的需要，对《资本论》的基本理论发动一次又一次的诋毁和攻击，否定《资本论》的科学性及其在人类科学史上的地位，消除《资本论》在劳动群众中的影响。一个多世纪以来，资产阶级经济学家多次宣布《资本论》的基本理论已被他们"驳倒"。实际上，《资本论》的基本原理并没有被他们驳倒，而且是他们永远驳不倒的。

（1）价值理论无懈可击。马克思的劳动价值论是《资本论》这座理论大厦的基础。资产阶级经济学家懂得这一点，所以他们总是把攻击的矛头首先对准劳动价值论，因为基础一旦被毁，整个大厦也必然倒塌。现代西方资产阶级学者攻击劳动价值论的主要手法，是在所谓"价值转形问题"上大做文章。美国的资产阶级经济学家萨缪尔森在这方面表现得最为突出，他不断地宣扬自己"发现"了《资本论》第一卷和第三卷之间存在着所谓体系的矛盾，说什么《资本论》第一卷所分析的价值规律与第三卷所分析的生产价格规律相抵触，说第三卷推翻了第一卷，等等。萨缪尔森对《资本论》的所谓"批评"，首先是出于他对《资本论》理论体系的无知。众所周知，马克思在《资本论》中使用的是从抽象上升到具体的叙述方法。在第一卷中，他撇开了资本主义现实的一切次要现象，在纯粹状态下考察价值，从而阐明价值的本质及其一般规律。在第三卷中，则是要揭示和说明资本主义生产总过程中所产生的各种具体形式，在价值问题上则是要进一步分析价值转化为生产价格，从而阐明生产价格的本质及其形成的一般规律。劳动价值论是生产价格理论的基础，生产价格理论是劳动价值论的具体运用和引伸。它们之间的联系是一目了然的。它们之间的区别在于：劳动价值论揭示生产价格的内在的本质，而生产价格理论则是阐明价值在资本主义竞争的表面上、在通常人们的意识中所表现出来的具体形式。因此，《资本论》第一卷和第三卷之间的关系是科学抽象法的上升关系，根本不存在什么理论体系的“矛盾”或“破绽”。

（2）剩余价值理论稳如磐石。剩余价值理论是《资本论》的核心和基石，揭露了资本主义剥削的秘密，揭示了资本主义生产关系的本质及其运动规律。因此，资产阶级对这个理论既恐惧又痛恨，千方百计地想“驳倒”它。

有的资产阶级经济学家企图用所谓的边际效用论和边际生产率论来“破坏”和“代替”马克思的剩余价值学说。例如美国资产阶级经济学家M·克拉克说，边际效用论“破坏了马克思剩余价值理论的基础，使价值建立在效用基础上，而不是建立在劳动耗费的基础上，它们提出一切生产因素不仅是生产性的，而且按照自己对总产品的贡献取得报酬，并用这种理论来代替马克思主义的或其他形式的关于剥削的学说”①。边际效用论的实质是把价值归结为主观的心理因素，没有丝毫的科学成分。因此，它一出炉就被马克思主义者批判得体无完肤。

有的资产阶级经济学家承认剩余价值，但否认工人的剩余劳动是剩余价值的源泉，而鼓吹科学技术是剩余价值的源

---

① M.克拉克：《分配》，《收入分配理论文集》，1946年费拉得尔菲亚—多伦版，第56页。

泉。联邦德国的乔·哈伯玛斯说,现在“技术和科学已经发展成首要的生产力”,“变成独立的剩余价值来源”。法兰克福学派的著名代表马尔库塞也认为科学技术的发展已使它自己可以不依赖活劳动而成为剩余价值的独立源泉。所有这些说法,不过是“科学技术价值论”的进一步延伸而已。科学技术是生产力的重要因素,随着科学技术的发展及其在生产中的应用,劳动生产率大大提高了,这是毫无疑问的。但是,任何科学技术都是人的劳动(包括脑力劳动和体力劳动)的产物,因而它本身具有价值;但是作为劳动资料,它不创造价值,只是把它本身的价值转移到新产品上去。同时,任何科学技术都要通过人的活劳动才能应用到生产过程中,才能在生产过程中发挥作用,如果不同人的活劳动相结合,任何科学技术都不会成为现实的生产力。科学技术始终是人的科学技术,它任何时候都不能不依赖于人,都不能“独立”于人之外。因此科学技术在任何时候都不能成为价值或剩余价值的“独立的源泉”。这个道理,马克思在《资本论》中讲得清清楚楚。

自从《资本论》问世以来,资本主义的卫道士们为了“驳倒”剩余价值理论,可谓绞尽了脑汁,使用了各种手法。但是,作为《资本论》基石的剩余价值理论依然稳如磐石。

(3)资本积累和无产阶级贫困的理论是客观事实的反映。资本积累和无产阶级贫困理论,阐明了资本主义积累的一般规律和资本主义积累的历史趋势,指明了无产阶级的社会经济地位及其历史使命,从而得出了一个科学的革命的结论:剥夺者被剥夺。资产阶级对此感到恐惧和不安。因此,他们历来都把攻击马克思的资本积累和无产阶级贫困化理论,作为攻击《资本论》的一个重点。萨缪尔森在他的《经济学》中写道："虽然马克思对于工业资本主义的某些预测在其间的一段时间内被证明为正确的，关于资本主义发展的运动规律的一个预测却被证明为非常错误的。这个被许多马克思主义者所接受的预测断言：富者愈富，贫者愈贫。这一断言不能为周密的历史和统计研究所证实。"[①]马克思在《资本论》中谈到"同资本积累相适应的贫困积累"时说："在一极是财富的积累，同时在另一极，即在把自己的产品作为资本来生产的阶级方面，是贫困、劳动折磨、受奴役、无知、粗野和道德堕落的积累。"[②]马克思对资本主义制度下无产阶级的贫困作了具体分析，而不是像资产阶级学者所歪曲的那样，只笼统地说一句"愈来愈贫"就算了事。马克思主义认为，在资本主义制度下，无产阶级的贫困可分为相对贫困和绝对贫困。

关于在资本主义制度下，无产阶级的贫困状况，《资本论》中列举了大量的事实，而且都是从当时的官方材料中引来的。马克思在《资本论》中所阐述的资本积累和无产阶级贫困的理论，是否像某些人所说的那样，只适用于"马克思生活的时代"呢？随着当代资本主义的巨大变化，马克思的上述论断是否已经表现出"历史局限性"，因而"不适用"了呢？绝对不是。《资本论》问世150多年来，特别是第二次世界大战以来，由于工人阶级有组织的阶级斗争的发展，以及整个社会经济的进步，发达的资本主义国家的工人阶级物质生活水平有了较明显提高。但是，任何一个发达的资本主义国家都没有消除

① 萨缪尔森：《经济学》（上册），北京：商务印书馆，1982年，第112页。

②《马克思恩格斯全集》第23卷，北京：人民出版社，1972年，第708页。

工人阶级的绝对贫困和相对贫困。马克思在《资本论》中早就说过："在工人自己所生产的日益增加的并且越来越多地转化为追加资本的剩余产品中，会有较大的部分以支付手段的形式流回到工人手中，使他们能够扩大自己的享受范围，有较多的衣服、家具等消费基金，并且积蓄一小笔货币准备金。但是，吃穿好一些，待遇高一些，特有财产多一些，不会消除奴隶的从属关系和对他们的剥削，同样，也不会消除雇佣工人的从属关系和对他们的剥削。由于资本积累而提高的劳动价格，实际上不过表明，雇佣工人为自己铸造的金锁链已经够长够重，容许把它略微放松一点。"①

人们常常把真理比作燧石，它受到的敲打越厉害，绽放出来的火花就越灿烂。《资本论》的基本原理就是革命的燧石，它在资产阶级学者的长期的猛烈攻击中，放射出更加灿烂的光辉。

2.《资本论》仍然是资本主义世界无产阶级争取解放的强大思想武器。

资产阶级学者在正面攻击《资本论》时遭到一次又一次的惨败之后就转而采取另一种策略，借口资本主义发展的新特点，宣称《资本论》已经"过时"了。《资本论》真的"过时"了吗？没有。它仍然是现代资本主义世界无产阶级争取解放的强大思想武器。

（1）社会主义取代资本主义的必然性日益变为现实性。《资本论》向世界无产阶级指明了社会主义代替资本主义的历

①《马克思恩格斯文集》第5卷，北京：人民出版社，2009年，第713—714页。

史必然性。这种历史必然性是由生产力在资本主义条件下的发展所决定的。为了追逐剩余价值，资本主义生产方式包含着不断发展生产力的趋势。生产力的发展，必然造成生产的社会性，从而必然与生产资料的资本主义占有的私人性发生矛盾。这种资本主义生产方式内部的生产力同生产关系的矛盾的尖锐化，必然要求用社会主义取代资本主义。同时，随着资本主义生产的发展，无产阶级必然随之发展和壮大，从而资本主义生产方式又成了自己的掘墓人。因此，资本主义生产越发展，这种历史必然性就表现得越明显，无产阶级革命胜利的物质条件就准备得越充分。从第一次世界大战以来，社会主义取代资本主义的历史必然性，在许多国家里已经变成了现实性。在第一次世界大战期间，列宁利用当时的革命形势，领导俄国的布尔什维克党和广大劳动群众，取得了十月革命的伟大胜利，建立起了人类历史上第一个社会主义国家，开创了社会主义取代资本主义的新纪元。第二次世界大战期间和战后，在欧洲和亚洲又有许多国家相继走上了社会主义道路。

社会主义取代资本主义的必然性，在资本主义发达国家里，也将日益变为现实性，就是说，从资本主义社会过渡到社会主义社会的主观条件和物质条件越来越接近于成熟。自第二次世界大战以来，资本主义国家的科学技术有了很大发展，目前正在进行一次新的技术革命。在马克思主义者看来，科学技术是一种在历史上起推动作用的、革命的力量。新的科学技术的发明及其在生产中的应用，必将引起社会生产力的发展和社会生活各个方面的重大变革。从长远来看，新的技术革命以及由此引起的社会生产力的发展，必将为社会主义代替资本主义准备更加充分的物质条件。当然，技术革命不能直接引起社会革命。它直接引起的是生产力的发展，而生产力的高度发展必将引起生产关系和上层建筑的变革。所以，当前的新技术革命不仅不否定社会主义代替资本主义的历史必然性，反而说明社会主义代替资本主义的物质条件比过去任何时候都更加成熟。

资本主义社会的发展是一种自然历史过程。它的灭亡同它的产生一样，是客观规律作用的结果，因而是不可避免的。尽管某些资本主义国家，社会主义代替资本主义的条件还不成熟，但是这个历史趋势却是谁也改变不了的。

(2)社会主义制度已经显示出巨大优越性。社会主义之所以必然代替资本主义，从根本上说，就是因为社会主义制度能够适应在资本主义社会中发展起来的社会生产力，促进社会生产力的迅速发展。社会主义的根本任务就是发展社会生产力。因此，社会主义制度的优越性首先就表现在国民经济的迅速发展上。中国在改革开放后的经济"奇迹"充分显示了社会主义的优越性。

"不怕不识货，就怕货比货。"人们通过对资本主义和社会主义两种制度的比较，将会做出自己的选择。

3.《资本论》是社会主义建设的指路明灯。

马克思是十分严谨的科学家，决不凭空猜测他当时无法知道的事情。因此，关于社会主义社会，他在《资本论》中只是提出了一些最一般的原理和原则。恩格斯曾经指出，一些读者"可能会以为他将从这本书里得知共产主义的千年王国到底是什么样子"，但是，"谁指望得到这种乐趣，谁就大错特错了"[1]。

我们说《资本论》是社会主义建设的指路明灯，首先指的是马克思在《资本论》中所提出的关于社会主义的一般原理和一般原则，而不是指的社会主义社会的各种具体的规章制度和各项具体的政策法令，也不是指的建设社会主义的各种具体方法和具体步骤。这些东西从《资本论》中是找不到的，需要我们自己在建设社会主义的实践中去不断地探索和研究。

其次，我们说《资本论》是社会主义建设的指路明灯，指的是马克思在《资本论》中所表达的世界观。恩格斯说："马克思的整个世界观不是教义，而是方法。它提供的不是现成的教条，而是进一步研究的出发点和供这种研究使用的方法。"[2]我们的任务，就是要用马克思在《资本论》中所使用的方法，来研究社会主义建设中遇到的新情况，回答在社会主义建设中提出的新问题。

（1）社会主义社会的发展是一种自然历史过程。马克思在《资本论》第一版序言中说："我的观点是把经济的社会形态的发展理解为一种自然史的过程。"[3]在马克思看来，任何社会都不是坚实的结晶体，而是一个能够变化并且经常处于变化过程中的有机体。社会主义社会也是这样。恩格斯认为，"所谓'社会主义社会'不是一种一成不变的东西，而应当和任何其他社会制度一样，把它看成是经常变化和改革的社会"[4]。

---

①《马克思恩格斯全集》第21卷，北京：人民出版社，2003年，第316页。

②《马克思恩格斯文集》第10卷，北京：人民出版社，2009年，第691页。

③《马克思恩格斯文集》第5卷，北京：人民出版社，2009年，第10页。

④《马克思恩格斯文集》第10卷，北京：人民出版社，2009年，第588页。

马克思和恩格斯的这个观点，是我们从纵的方面来理解社会主义社会的根本观点。

社会主义社会同任何其他社会一样，有其自身的发展规律和发展过程。这种发展规律和发展过程是客观的，是不能随意跳过或者取消的。既然社会主义社会发展是一种自然历史过程，那么，我们对社会主义社会的认识，也必然要经历一个不断认识和再认识的过程。

我国的社会主义制度，是在新民主主义革命获得全国胜利之后，运用人民民主专政的力量，对资本主义经济和小私有经济进行革命的改造的基础上建立起来的。这种新的社会主义生产关系是适应生产力发展的要求的。但是，这并不等于说生产关系和生产力之间已经不存在任何矛盾了。以生产资料公有制为基础的社会主义生产关系，就总的方面来说，它是适应社会化大生产的要求的，是能够促进社会生产力发展的。但是，社会主义制度本身还有一个不断自我完善和自我发展过程，它在一定时期存在的某些不完善的方面和生产力的发展也会发生矛盾，也会妨碍生产力的进一步发展。同时，社会主义的根本制度和社会主义的各种具体制度即我们现在所说的各种体制，虽有密切联系，但不是完全等同的。在根本制度适合生产力发展的情况下，某些具体的制度即某些体制，也可能不适合生产力发展的要求。因此，我们必须在坚持社会主义根本制度的前提下，及时改革某些不合理的体制。

社会主义社会的发展作为一种自然历史过程，它的基本矛盾仍然是生产关系和生产力、上层建筑和经济基础之间的矛盾。但是，社会主义社会的上述基本矛盾的性质与旧社会是根本不同的。它不是对抗性的矛盾,因而不像资本主义的矛盾那样,必须消灭资本主义制度本身才能解决,而是在坚持社会主义根本制度的前提下,改革生产关系和上层建筑中不适应生产力发展的某些具体的环节和方面,即某些具体的体制,从而使社会主义制度更加完善。这种性质的体制改革不是一次就能完成的,它将随着社会生产力的发展和国民经济水平的提高不断地进行。因此,体制改革本身也是一种历史过程。

(2) 把社会主义的普遍真理同本国的实际情况结合起来,建设具有自己特色的社会主义。马克思在《资本论》中提出的关于社会主义的基本原理和一般原则是完全正确的,必须始终坚持。但是,在实际运用这些基本原理和一般原则时,却必须从本国的国情出发,即从本国的历史条件和现实情况出发,走自己的社会主义道路,建设具有自己国家特色的社会主义。显然,这不是一件轻而易举的事。首先要有像马克思写作《资本论》那样的实事求是的科学态度,同时还要进行调查研究,积累实际经验。

总而言之,《资本论》的强大生命力就在于它是具有高度科学性的著作,而不是僵化的教条。《资本论》的出版是国际主义运动史上一个重要的里程碑,具有划时代的意义,它不仅是资本主义国家无产阶级要求解放的指路明灯,而且是已经建成社会主义国家进行社会主义建设的强大武器。

延伸阅读

1.《马克思恩格斯选集》,北京:人民出版社,2012年。

2. 徐杰、陈光林、陈乃圣:《马克思与〈资本论〉》,济南:山东人民出版社,1985年。

3.《马克思恩格斯文集》,北京:人民出版社,2009年。

深度思考

1. 为什么说马克思是工人阶级的革命导师?

2. 为什么说《资本论》是工人阶级的圣经?

3. 试述《资本论》的实践意义。

Reading & Interpretation

大家写小书·马恩经典著作新读

第四章

《资本论》在新时代的现实意义

为什么《资本论》能够跨越时代和社会阶层，在150多年后仍被广为传播和重视？原因就在于其本身所具有的当代价值。

一、《资本论》的创新思想为21世纪马克思主义政治经济学的建立提供了科学指导

创新是建立科学理论体系的关键。《资本论》是创新的典范，马克思为建立自己的经济学理论体系，提出了三大崭新因素。马克思在给恩格斯的信中提到了《资本论》的三个崭新因素："(1)过去的一切经济学一开始就把表现为地租、利润、利息等固定形式的剩余价值特殊部分当作已知的东西来加以研究，与此相反，我首先研究剩余价值的一般形式，在这种形式中所有这一切都还没有区分开来，可以说还处于融合状态中。(2)经济学家们毫无例外地都忽略了这样一个简单的事实：既然商品有二重性——使用价值和交换价值，那么，体现在商品中的劳动也必然具有二重性，而象斯密、李嘉图等人那样只是单纯地分析劳动，就必然处处都碰到不能解释的现象。实际上，这就是批判地理解问题的全部秘密。(3)工资第一次被描写为隐藏在它后面的一种关系的不合理的表现形式，这一点通过工资的两种形式即计时工资和计件工资得到了确切的说明。"①

马克思以"三个崭新因素"为创新点，在继承资产阶级古典政治经济学科学成分的基础上，形成了《资本论》的创新体

①《马克思恩格斯全集》第32卷，北京：人民出版社，1974年，第11—12页。

系。马克思的这三大崭新因素是相互联系、层层递进的，串联起批判继承古典经济学理论，形成了对资本主义经济整体的呈现，构建起马克思主义政治经济学体系。

马克思首先对劳动进行了区分，把劳动区分为具体劳动和抽象劳动，提出了科学的劳动二重性学说。劳动二重性学说是由马克思首先创立并证明了的，它是“理解政治经济学的枢纽”，为劳动价值论奠定了坚实的基础。资产阶级古典经济学家已经有了劳动创造价值的理论，但他们不了解具体劳动只是转移旧价值，而抽象劳动创造了价值。马克思第一次把生产商品的劳动区分为具体劳动和抽象劳动，在劳动二重性学说的基础上，把劳动价值理论建立在科学的基础上；马克思进而区分了劳动和劳动力，论证了劳动不是商品，没有价值，在资本主义社会劳动力成为商品。资本主义工资不是全部劳动的报酬，是劳动力价值的转化形式，这种理论科学地揭示了资本主义工资的本质。劳动创造的新价值既包括劳动力自身的价值，又包括剩余价值；马克思把资本不是单纯地按照其周转方式的不同分为固定资本和流动资本，而是根据资本的不同部分在价值增值过程中的不同作用分为不变资本和可变资本，从而揭示了剩余价值的真正源泉，创立了剩余价值理论；马克思在劳动价值论的基础上，创立了资本有机构成理论、资本积累理论、资本主义再生产理论、平均利润理论、生产价格理论与地租理论等等。通过对三个崭新的因素的论述，最终形成了关于资本主义生产方式产生、发展和灭亡的系统理论。可见，创新是建立理论体系的基础。

我们要丰富和发展21世纪马克思主义政治经济学，必须以重大发展问题为导向推动经济发展理论创新，建立中国特色社会主义政治经济学创新理论体系。

党的十八大以来，以习近平同志为核心的党中央带领全党、全国人民，把马克思主义政治经济学的基本原理同中国特色社会主义具体实践相结合，成功地实现了马克思主义政治经济学的创新发展。

1. 坚持以人民为中心的发展思想。坚持以人民为中心的发展思想是对马克思主义政治经济学的根本立场的继承和发展，是实现人的全面发展目标的具体要求，是社会主义价值追求的体现，为开辟马克思主义政治经济学新境界指明了方向。坚持以人民为中心，就是坚持人民主体地位，坚持人民至上，坚持发展为了人民、依靠人民，发展成果由人民共享。

2. 关于基本经济制度的新论断。马克思设想的“自由人联合体”，实行以公有制为基础的基本经济制度。《中共中央关于全面深化改革若干重大问题的决定》指出：“公有制为主体、多种所有制经济共同发展的基本经济制度，是中国特色社会主义制度的重要支柱，也是社会主义市场经济体制的根基。”党的十九届四中全会又进一步提出：“公有制为主体、多种所有制经济共同发展，按劳分配为主体、多种分配方式并存，社会主义市场经济体制等社会主义基本经济制度，……是党和人民的伟大创造。”[①]我们必须坚持社会主义基本经济制度不动摇。

3. 关于经济新常态的理论。2014年，习近平同志在河南

①《中国共产党第十九届中央委员会第四次全体会议文件汇编》，北京：人民出版社，2019年，第37—38页。

考察时第一次提出了“经济新常态”的概念。之后，他又多次强调，要认识新常态，适应新常态，引领新常态。这是在综合分析世界经济长周期和我国经济发展阶段性特征基础上作出的重大战略判断。

4. 创新了市场与政府的关系，科学回答了经济体制改革的核心问题。习近平同志指出：“使市场在资源配置中起决定性作用和更好发挥政府作用，二者是有机统一的，不是相互否定的，不能把二者割裂开来、对立起来，既不能用市场在资源配置中的决定性作用取代甚至否定政府作用，也不能用更好发挥政府作用取代甚至否定市场在资源配置中起决定性作用。”①

5. 关于发展理念的创新。我国的“十三五”规划建议中强调必须牢固树立创新、协调、绿色、开放、共享的发展理念，十八届五中全会正式提出了五大发展理念，创新发展解决发展动力的问题，协调发展解决发展不平衡问题，绿色发展解决人与自然和谐共生问题，开放发展解决发展内外联动问题，共享发展解决社会公平正义问题。五大发展理念是面向未来的发展理念，是对我国和世界发展规律的新认识，极大深化了对发展规律的认识。

6. 创新供给侧结构性改革理论。2015年，习近平同志首次提出“供给侧改革”。他指出：“从政治经济学的角度看，供给侧结构性改革的根本，是使我国供给能力更好满足广大人民日益增长、不断升级和个性化的物质文化和生态环境需要，

① 中共中央宣传部编：《习近平新时代中国特色社会主义思想学习纲要》，北京：学习出版社、人民出版社，2019年，第115—116页。

从而实现社会主义生产目的。”[①]供给侧结构性改革理论，是党中央适应和引领经济发展新常态作出的思想深刻、内容丰富的系统理论创新，我国的供给侧结构性改革不同于凯恩斯主义需求决定论，也不同于以萨伊定律为核心的供给经济学，更区别于罗丹和刘易斯的结构主义政策。

7. 提出“人类命运共同体和利益共同体”新理念、国际秩序新原则和人类社会关系新愿景。习近平同志指出：“在当今世界，各国相互联系、相互依存的程度空前加深，越来越成为你中有我、我中有你的命运共同体。”[②]

同时，他还指出：“党的十一届三中全会以来，我们党把马克思主义政治经济学基本原理同改革开放新的实践结合起来，不断丰富和发展马克思主义政治经济学，形成了当代中国马克思主义政治经济学的许多重要理论成果，这些理论成果，是适应当代中国国情和时代特点的政治经济学，不仅有力指导了我国经济发展实践，而且开拓了马克思主义政治经济学新境界。”[③]

二、《资本论》对于我们深化人类社会发展规律的认识，为人类社会发展贡献“中国方案”提供了依据

马克思和恩格斯在《共产党宣言》中得出了“资产阶级的

① 习近平：《在省部级主要领导干部学习贯彻党的十八届五中全会精神专题研讨班上的讲话》，《人民日报》2016年5月10日。

② 姜辉：《对“三大规律”认识的深化——学习习近平总书记治国理政的重要论述》，《求是》2016年第16期。

③ 于金富：《中国特色社会主义政治经济学的时代属性》，《光明日报》2016年11月16日。

灭亡和无产阶级的胜利是同样不可避免的"这一重要结论。在《资本论》第一卷中，他揭示了"两个必然的规律"。马克思根据对资本主义基本矛盾即社会化生产与资本主义私人占有之间矛盾的分析，揭示了资本主义必然灭亡的历史趋势。"资本的垄断成了与这种垄断一起并在这种垄断之下繁盛起来的生产方式的桎梏。生产资料的集中和劳动的社会化，达到了同它们的资本主义外壳不能相容的地步。这个外壳就要炸毁了。资本主义私有制的丧钟就要响了。剥夺者就要被剥夺了。"①"两个必然"论断是马克思、恩格斯在对资本主义基本矛盾分析的基础上提出的，它揭示了人类社会发展的客观规律。同时，马克思在1859年写的《〈政治经济学批判〉序言》中提出："无论哪一个社会形态，在它所能容纳的全部生产力发挥出来以前，是决不会灭亡的；而新的更高的生产关系，在它的物质存在条件在旧社会的胎胞里成熟以前，是决不会出现的。"②这两个著名的科学论断揭示了人类社会发展的规律。

进入21世纪，资本主义基本矛盾的表现形式、存在特点虽然有所不同，但仍然是生产社会化和生产资料私人占有之间的矛盾。尽管资本主义产生了新的变化，但它并没有改变"两个必然"的历史趋势。2008年，国际金融危机首先在资本主义核心区域爆发，并引发主权债务危机，福利国家制度陷入困境，"逆全球化"思潮和保护主义倾向抬头，资本主义弊端日益凸显。相反，作为社会主义国家的中国社会稳定、经济发展，表现出勃勃生机，显示出社会主义的道路自信、制度自信。

---

①《马克思恩格斯文集》第5卷，北京：人民出版社，2009年，第874页。

②《马克思恩格斯文集》第2卷，北京：人民出版社，2009年，第592页。

党的十八大以来，以习近平同志为核心的党中央提出了一系列治国理政新理念新思想新战略，深化了对人类社会发展规律的认识，为人类对更好社会制度的探索提供了“中国方案”。习近平同志指出：“事实一再告诉我们，马克思、恩格斯关于资本主义社会基本矛盾的分析没有过时，关于资本主义必然消亡、社会主义必然胜利的历史唯物主义观点也没有过时。这是社会历史发展不可逆转的总趋势。”①

党的十八大以来，以习近平同志为核心的党中央遵循人类社会发展规律，强调要构建新型国际关系，推动建立人类命运共同体和利益共同体，坚持中国发展和人类社会发展的有机统一，积极参与全球治理体系建设，努力为完善全球治理贡献中国智慧。

三、《资本论》的分析框架和体系结构为建立中国特色社会主义政治经济学奠定了基础

马克思在《〈政治经济学批判〉导言》中，分析了社会再生产中生产、交换、分配、消费四个环节的辩证关系，指出：“一定的生产决定一定的消费、分配、交换和这些不同要素相互间的一定关系。当然，生产就其单方面形式来说也决定于其他要素。”②《资本论》以剩余价值为中心，前三卷分别论述生产、交换、分配的问题。马克思没有专门论述消费的章节，其消费理论体现在各卷次中。这四卷中心突出、结构严密、逻辑清晰，是一个非常完整的科学体系。

---

① 朱佳木：《中国道路是顺应时代发展潮流的选择》，《人民日报》2015年11月22日。

②《马克思恩格斯文集》第8卷，北京：人民出版社，2009年，第23页。

党的十八大以来，以习近平同志为核心的党中央进一步完善中国特色社会主义政治经济学的理论体系。习近平同志指出："坚持和发展中国特色社会主义政治经济学，要以马克思主义政治经济学为指导，总结和提炼我国改革开放和社会主义现代化建设的伟大实践经验，同时借鉴西方经济学的有益成分。……要加强研究和探索，加强对规律性认识的总结，不断完善中国特色社会主义政治经济学理论体系，推进充分体现中国特色、中国风格、中国气派的经济学科建设。"①建立中国特色社会主义政治经济学必须对社会主义社会再生产中生产、分配、交换、消费四环节进行全面分析。另外还应包括社会主义市场经济的三大基本结构：市场主体、市场体系和宏观调控的内容。

由此可见，中国特色社会主义政治经济学的框架应包括以下几个方面。(1)解放和发展社会生产力。邓小平同志认为社会主义的首要任务是发展生产力。习近平同志也指出，最根本最紧迫的任务还是进一步解放和发展社会生产力。解放和发展生产力是巩固社会主义制度的需要，是社会主义本质要求。(2)基本经济制度：公有制为主体、多种所有制经济共同发展。由于生产力的多样性，以公有制为主体、多种所有制经济共同发展，按劳分配为主，多种分配方式并存，社会主义市场经济体制是我国社会主义基本经济制度。(3)实现共同富裕。最终达到共同富裕也是社会主义的本质要求。习近平把实现共同富裕看作是我们党的重要使命，他强调："消除贫困、

① 刘伟：《在新实践中构建中国特色社会主义政治经济学》，《人民日报》2016年8月1日。

改善民生、逐步实现共同富裕，是社会主义的本质要求，是我们党的重要使命。”①（4）实行社会主义市场经济体制。社会主义市场经济理论是中国对马克思主义政治经济学的创新发展。在马克思和恩格斯那里，社会主义意味着消灭商品和货币，实行完全集中统一的计划经济。但是，我国社会主义经济实践表明，在生产力落后的社会主义初级阶段，搞市场经济才符合社会发展实际。我国改革开放的过程，就是逐步由计划经济体制转向社会主义市场经济体制的过程，在这一过程中创造了“中国奇迹”。（5）形成统一、开放、竞争、有序的市场体系，包括商品市场、生产要素市场和产权市场。（6）实行社会主义按劳分配为主的原则。马克思认为社会主义社会对个人消费品实行按劳分配。我国实行以按劳分配为主体、多种分配方式并存的原则，允许劳动、资本、技术和管理等生产要素按贡献参与分配。（7）独立自主与对外开放、参与经济全球化相结合。在独立自主、自力更生的基础上实行对外开放是我国的一项基本国策。（8）建立以间接管理为主的宏观调控体系，主要依靠市场配置资源，政府调控市场，市场引导企业。

知识链接 ……………………………………………………

★ 习近平新时代中国特色社会主义思想 ★

2017年10月18日，在中国共产党第十九次全国代表大会上，习近平总书记首次提出了“新时代中国特色社会主义思想”。

① 秦杰等：《全面小康　扬帆起航》，《人民日报》2015年11月5日。

这是一个重大时代课题，必须要从理论和实践的结合上系统回答新时代坚持和发展什么样的中国特色社会主义、怎样坚持和发展中国特色社会主义，包括新时代坚持和发展中国特色社会主义的总目标、总任务、总体布局、战略布局和发展方向、发展方式、发展动力、战略步骤、外部条件、政治保证等基本问题，并且要根据新的实践对经济、政治、法治、科技、文化、教育、民生、民族、宗教、社会、生态文明、国家安全、国防和军队、“一国两制”和祖国统一、统一战线、外交、党的建设等各方面作出理论分析和政策指导，以利于更好坚持和发展中国特色社会主义。

围绕这个重大时代课题，我们党坚持以马克思列宁主义、毛泽东思想、邓小平理论、“三个代表”重要思想、科学发展观为指导，坚持解放思想、实事求是、与时俱进、求真务实，坚持辩证唯物主义和历史唯物主义，紧密结合新的时代条件和实践要求，以全新的视野深化对共产党执政规律、社会主义建设规律、人类社会发展规律的认识，进行艰辛理论探索，取得重大理论创新成果，形成了新时代中国特色社会主义思想。

2017年10月24日，中国共产党第十九次全国代表大会通过了关于《中国共产党章程(修正案)》的决议，习近平新时代中国特色社会主义思想写入党章。

2018年3月11日，第十三届全国人民代表大会第一次会议通过《中华人民共和国宪法修正案》，习近平新时代中国特色社会主义思想写入《中华人民共和国宪法》。

四、《资本论》对国民经济保持持续、快速、健康发展具有重要指导作用

改革开放以来，我国经济理论界存在一种盲目崇拜西方经济学的倾向，对马克思主义政治经济学采取削弱的态度。这种倾向和态度是极为有害的。因为马克思主义政治经济学不仅是对资本主义市场经济的科学揭示，对资本主义具有深刻的警示性价值，而且对社会主义市场经济的持续、快速、健康发展更是具有不可估量的建设性价值。尤其是《资本论》第二卷对资本的流通过程的分析，为我国经济持续、快速、健康发展提供了坚实的理论支撑。

《资本论》第二卷共有三篇内容。

第一篇《资本的形态变化及其循环》重点讲了单个产业资本循环的三个阶段，即购买、生产和销售三个阶段。三个阶段分别采取货币资本、生产资本和商品资本形式。资本按顺序从一种形式转化为另一种形式，这就形成了货币资本循环、生产资本循环和商品资本循环。产业资本正常运行的条件是这三种循环形式保持统一，并且每一种形式都能顺畅地完成自己的循环。马克思指出："决定生产连续性的并列存在之所以可能，只是由于资本的各部分依次经过各个不同阶段的运动。并列存在本身只是相继进行的结果。"[①]但是，资本主义生产的对抗性和无政府状态，必然使得这种连续性不断被破坏。社会主义企业管理人员可以从中得到企业管理的很多有

①《马克思恩格斯文集》第6卷，北京：人民出版社，2009年，第119—120页。

益的启示，合理分配资金，使其购买、生产和销售按一定比例占有资金，同时每一资金又顺利完成自己的循环，保持产业资本循环的连续性。

第二篇《资本周转》分析了资本周转即研究单个资本家总预付资本量的运动。资本周转主要是讲资本周转速度问题。资本周转速度，直接影响资本的增值。在预付资本一定的情况下，资本周转速度的快慢，决定生产剩余价值的多少。资本周转时间由生产时间和流通时间构成，固定资本和流动资本的构成是影响资本周转时间从而影响速度的重要因素。固定资本的更新是危机周期性的物质基础。这些理论对于社会主义企业缩短周转时间、加快资本周转具有重要指导作用。

第三篇《社会总资本再生产和流通》阐明了社会再生产是以什么形式和在哪些条件下不断反复进行的。从理论上说再生产包括简单再生产和扩大再生产。为抽象分析的需要，马克思把社会总生产分为两大部类，第一部类是生产资料的生产，第二部类为消费资料的生产。研究社会总资本的流通过程，必须既分析价值方面的补偿，又分析物质方面的替换；不仅要分析资本如何从价值方面和物质方面来补偿和替换，也要分析工人和资本家的个人消费品如何从价值方面和物质方面来补偿和替换，并分析资本和个人消费品这两种补偿和替换的相互交错的关系，即探讨简单再生产和扩大再生产的实现条件。再生产要能够顺利进行，不仅要总量平衡，而且要结构平衡，不仅要在价值量上的相等，而且要在使用价值的形态上相匹配。列宁总结了社会再生产过程中生产资料生产优先增长的规律。对社会总资本再生产和流通的分析表明，社会总产品的实现，归根到底取决于各生产部门是否保持合理的比例关系。这些理论对于我国调整产业结构有重要指导作用，我国一定要合理地分配资源，不断优化产业结构，努力实现结构优化上的总量平衡。结构调整的最佳状态是各部门之间的利润平均化，其前提是资本和劳动力的自由流动。

这三篇分别阐述了经济运行过程中的“持续”“快速”“比例”或“结构”问题，体现为三个字——“活”“快”“协”。这三篇对于我国经济保持持续、快速、健康的发展都有现实指导意义，目前从宏观上来说，尤其要利用社会生产按比例发展及生产资料生产优先增长的规律，实行“三去一降一补”战略，搞好我国的产业结构调整。

五、《资本论》的资本主义经济危机和周期理论为我国有效应对宏观经济波动提供了应对策略

《资本论》虽然没有专篇或专章分析经济危机理论，但在四卷《资本论》中都有涉及，尤其在第二卷中作了比较多的分析。《资本论》第一卷第一篇分析商品和货币时，指出了产生经济危机的可能性；第四篇和第七篇谈到经济危机与工人失业、贫困的关系；在《资本论》第三卷第十五章着重分析资本主义经济危机产生的原因。其他有关经济危机的论述则主要集中在《资本论》第二卷：第二章讲到经济危机的表现；第八章讲到经济危机与固定资本更新的关系；第九章指出经济危机的阶段，经济危机的周期平均每10年一次，特别是指出了固定资本更新是周期性危机的物质基础；第二十章阐述经济危机与奢侈品消费的关系；第二十一章阐述经济危机与再生产的关系。

这些内容都是分析当代资本主义经济危机问题的重要理论武器。经济危机是资本主义社会基本矛盾尖锐化的必然结果。危机强制地使生产和消费的矛盾趋于缓和，却不能根本消除资本主义社会基本矛盾，因为“危机永远只是现有矛盾的暂时的暴力的解决，永远只是使已经破坏的平衡得到瞬间恢复的暴力的爆发”[①]。危机过后，在资本主义社会的基本矛盾——生产的社会化和资本主义私人占有之间矛盾的作用下，再生产的平衡关系又将遭到践踏，生产和消费的矛盾变得激烈且不可调和，又会重新爆发新一轮的危机。

同时，《资本论》的资本主义经济危机和经济周期理论，为我国有效应对宏观经济波动提供了应对策略。危机的爆发是固定资本更新的大好时机，马克思指出：“这种由一些互相联结的周转组成的长达若干年的周期（资本被它的固定组成部分束缚在这种周期之内），为周期性的危机造成了物质基础。在周期性的危机中，营业要依次通过松弛、中等活跃、急剧上升和危机这几个时期。虽然资本投入的那段期间是极不相同和极不一致的，但危机总是大规模新投资的起点。”[②]我国目前实体经济不景气、经济下行压力大的原因就在于无效供给过多，有效需求不足。目前，我国正实施供给侧结构性改革战略，落实“三去一降一补”重点任务。从注重需求管理转向注重供给侧结构性改革，不能照搬西方供给学派理论，必须以马克思主义政治经济学为指导，着力破解当前供给端的制约因素。同时，面对实体经济不景气、经济下行压力大的状况，我

①《马克思恩格斯文集》第7卷，北京：人民出版社，2009年，第277页。
②《马克思恩格斯文集》第6卷，北京：人民出版社，2009年，第207页。

国应根据产业发展的需要，列出行业技术标准和时间表，把依次递进的固定资本更新作为对产业结构、技术结构进行升级改造的有效途径。

知识链接

★ 资本主义经济危机 ★

经济危机通常指经济发展过程中周期性爆发的社会经济的大混乱。经济危机的表现是：大量商品卖不出去，大量生产资料被闲置，大批生产企业、商店、银行破产，大批工人失业，生产迅速下降，信用关系破坏，整个社会生活陷入混乱。经济危机的实质是产能过剩。在简单商品经济时期就已经存在经济危机的可能，但这仅仅是一种可能，经济危机并没有变为现实。只有在市场经济条件下，市场经济基本矛盾即社会化生产与财产私有之间的矛盾才使这种可能变为现实。市场经济的基本矛盾直接表现为个别企业生产的有组织性、有计划性和整个社会生产无政府状态之间的矛盾；表现为厂商生产有无限扩大的趋势与消费者有效需求相对缩小之间的矛盾，即生产和消费之间的矛盾。这两个矛盾激化，必然引起经济危机爆发。

再生产的循环进行，使经济危机的过程具有周期性。典型的再生产周期，包括危机、萧条、复苏、高涨四个阶段。危机是上一个周期的终点，又是下一个周期的起点。在萧条阶段，生产处于停滞状态，同时为复苏阶段做准备。在复苏阶段，生产和消费的矛盾进一步缓和，社会生产逐渐恢复，并进一步发展，使经济出现繁荣景象，形成高涨。高涨又使经济各种矛盾加以积累，达到一定程度，又爆发新一轮经济危机。再生产周期性的物质基础，是固定资产更新。

大规模的固定资产更新，会扩张生产能力，引起生产高涨，为下一次生产过剩危机奠定物质基础。

六、用《资本论》中的竞争价格决定理论指导我国价格改革实践，实现公平分配

马克思在《资本论》第三卷中系统阐述了价格决定理论，马克思的价格决定理论是竞争的价格决定理论。而马克思为分析问题的需要，将竞争分为部门内部和部门之间的竞争，这两种竞争在价格的形成上发挥了不同的作用。

部门内部竞争的结果是形成同一部门内部所有同类商品的同一市场价值。市场价值，“一方面，应看做是一个部门所生产的商品的平均价值，另一方面，又应看做是在这个部门的平均条件下生产的并构成该部门的产品很大数量的那种商品的个别价值”[①]。价格是价值的货币表现，因此，在市场上同类商品只能按同一价格出售。由于资本为追求利润的最大化有可能在不同部门间转移流动。因此，在价值水平上的“利润率”相等会实际地发生。只有部门之间的竞争才形成平均利润和生产价格，部门之间竞争的结果是使等量资本获得等量利润，即各部门会形成大体相等的平均利润率。

平均利润率=社会的剩余价值总额/社会预付总资本。平均利润就是按照平均利润率比例于各资本量的大小所获得的利润。

---

①《马克思恩格斯文集》第7卷，北京：人民出版社，2009年，第199页。

平均利润形成以后，商品就不再按价值出售，而是按照生产价格来出售。生产价格=成本价格+平均利润，生产价格是商品价值的转化形式。

从以上分析可以得出结论：绝对意义上的平均利润率是永远不会存在的，平均利润只是作为一个假定的平均数或作为一种趋势而存在，即作为自由竞争所显示的经济规律而存在。

马克思的竞争价格决定理论是对资本主义同时也是对市场经济的价格形成的科学反映，对指导我国价格改革深具意义。企业的利润是通过自由竞争实现的，企业商品的价格不由或不完全由垄断企业或组织决定，而是取决于市场力。竞争的市场价格的形成过程，就是价格机制分配社会总劳动量的过程。同时，按照马克思的平均利润率规律，各部门利润率应大体相等，这有利于克服垄断，实现公平分配。在我国，由于行业垄断的存在，造成垄断企业提供的产品和服务大多具有稀缺性和不可替代性，加上有些垄断行业带有行政色彩，甚至一些行业准入标准的全国性文件他们也参与起草，因此，会不自觉地保护自己的利益，把部门利益法制化。这使得垄断行业产品的不合理定价问题非常突出。行业行政垄断造成的社会平均利润率难以形成，行业垄断程度是我国行业收入产生差距的最重要因素，这是目前我国分配不公的主要原因。要彻底遏制住这种现象，需要依靠进一步深化改革，按照马克思关于平均利润率规律，要求破除行业的进入壁垒，实现各市场主体平等竞争局面，高额利润才会在公平竞争中消失。同时进行工资制度改革，防止工资侵蚀利润，通过人才自由流动，形成同城同待遇，同行业同级别工资水平大体相当，实现公平分配。

总之，《资本论》是马克思运用辩证唯物主义和历史唯物主义研究政治经济学的典范，它仍然是分析批判资本主义经济社会的强大思想武器，也是我们建设社会主义的理论宝库，显示出无限的生命力，其理论光辉仍具当代价值。

延伸阅读

1. 习近平：《决胜全面建成小康社会　夺取新时代中国特色社会主义伟大胜利——在中国共产党第十九次全国代表大会上的报告》，北京：人民出版社，2017年。

2. 马克思、恩格斯：《共产党宣言》，北京：人民出版社，2014年。

3. 崔友平：《〈资本论〉与〈21世纪资本论〉比较研究》，《马克思主义与现实》2015年第2期。

深度思考

1. 试述《资本论》的当代价值。

2. 试述《资本论》对国民经济保持持续、快速、健康发展的重要作用。

3. 试述马克思《资本论》中的竞争价格决定理论及对我国价格改革的指导作用。

Reading & Interpretation
大家写小书·马恩经典著作新读

第五章
从马克思主义政治经济学到习近平新时代中国特色社会主义经济思想

马克思主义政治经济学诞生于19世纪中叶，是在批判地继承资产阶级古典政治经济学基础上，主要由马克思、恩格斯创立的，《资本论》是马克思主义政治经济学的代表作。20世纪，马克思主义政治经济学在实践基础上不断丰富和发展。习近平新时代中国特色社会主义经济思想是21世纪的马克思主义政治经济学，是当代的“中国特色社会主义政治经济学”。“中国特色社会主义政治经济学”首次由习近平总书记于2015年12月的中央经济工作会议上提出。习近平总书记从治国理政的高度强调中国特色社会主义政治经济学建构，并立足我国国情和发展实践，深入研究整个世界经济和我国经济发展所面临的新情况新问题，揭示新特点新规律，把实践经验升华为系统化的经济学说，形成了习近平新时代中国特色社会主义经济思想。2017年12月的中央经济工作会议首次提出“以新发展理念为主要内容的习近平新时代中国特色社会主义经济思想”，其重大创新之处就在于赋予了马克思主义政治经济学新时代特征和崭新的中国因素。

一、马克思主义政治经济学的诞生

马克思主义政治经济学产生的特殊历史背景可概括为：时代的产物、理论的总结、革命的需要。

从1843年底，马克思抱着为劳苦大众伸张正义、批判工人运动中的错误思潮、解剖“市民社会”的目的开始涉猎政治经济学，到1883年3月14日马克思逝世，共40年。1867年9月14日，《资本论》第一卷在德国汉堡出版发行。《资本论》的出版发行，标志着马克思主义政治经济学的诞生。

马克思主义政治经济学是用唯物主义辩证方法来研究资本主义生产方式以及与之相适应的生产关系和交换关系，最终目的就是揭示现代社会的经济运动规律。马克思和恩格斯通过分析商品与货币建立了科学的劳动价值论，并以此为基础创立了剩余价值学说。马克思系统地评述并批判了17世纪中叶以后资产阶级政治经济学的各流派学说，从而论述了剩余价值理论的演变发展过程。

剩余价值理论是马克思主义政治经济学的理论基础，深刻揭示了资产阶级剥削无产阶级的秘密，剖析了无产阶级和资产阶级对立的根源。以剩余价值为中心，马克思详细分析了资本主义的生产、交换以及与之相适应的产品分配关系，揭示了资本主义经济运动规律。

二、列宁的《帝国主义论》及新经济政策

列宁的“帝国主义论”及新经济政策是对马克思主义政治经济学的继承和发展。

列宁根据马克思主义政治经济学的基本原理，总结了《资本论》问世后半个世纪资本主义发展的实际情况，指出资本主义已经发展到了帝国主义这一新的历史阶段。他根据新形势在1916年写了《帝国主义是资本主义的最高阶段》一书。列宁指出垄断是帝国主义的经济实质。他从这个实质出发，论证并得出了帝国主义是寄生的、腐朽的、垂死的资本主义的结论，并大胆预言：帝国主义是无产阶级社会革命的前夜。

十月革命后，在苏维埃俄国内忧外患、经济困顿的情况下，苏俄政府实行了“战时共产主义”政策：实行余粮收集制；

把大中企业收归国有，对小企业实行监督；取消一切商品贸易；一切生活必需品均由国家集中分配；强制劳动，实行“不劳动者不得食”的原则……引起了以农民为代表的广大老百姓的极其不满。在充分论证的基础上，列宁在1921年3月开始实行新经济政策，其中的一项重要内容是以粮食税代替余粮收集制。同时，允许外资企业管理国家暂时无力经营的企业，恢复商品货币关系进行调节生产的作用。这使小农经济占优势的苏俄找到了向社会主义经济阶段过渡的道路。实行新经济政策使新生的苏维埃国家开始了社会主义经济建设时期，国民经济逐渐恢复。

1922年12月，第一次苏维埃代表大会胜利召开，会上宣布成立苏维埃社会主义共和国联盟（简称苏联），还通过了第一部宪法。这样，有史以来第一个社会主义国家终于在世界上站稳了脚跟。新经济政策的实施表明，列宁和布尔什维克党放弃了由战时共产主义政策直接过渡到社会主义的设想和实践，开始从国情出发，利用市场和商品货币关系来扩大生产，改善和巩固工农联盟，让国家逐步过渡到社会主义。新经济政策的实施是列宁对小农经济占优势的俄国如何建设社会主义的问题进一步探索的结果，是他对马克思主义理论的重大发展。

三、斯大林的《苏联社会主义经济问题》

1924年列宁逝世后，新经济政策被慢慢废除。1929年，斯大林在全国范围加速开展农业全盘集体化和社会主义工业化运动，逐步形成了斯大林模式。

斯大林在1952年2—9月间撰写了《苏联社会主义经济问题》，这本著作成了当时苏联的政治经济学教科书，书中系统阐述了社会主义经济的许多重大理论问题。苏联《政治经济学教科书》（1954年版）系统表达了《苏联社会主义经济问题》的基本思想：明确了社会主义政治经济学研究的对象是生产关系，认为生产关系包括生产资料的所有制形式；阐明了经济规律的客观性质，认为经济规律反映了客观经济发展过程内在的本质的必然性，是不以人的意志为转移的，但人们可以认识和把握经济规律，利用它为社会服务；论述了社会主义制度下还存在商品生产的原因，但否认生产资料在社会主义制度下仍可以是商品；阐明了社会主义制度下价值规律的作用，但在社会主义制度下，价值规律只对流通起调节作用，而对生产只有影响作用，不起调节作用；概括了社会主义的基本经济规律：用在高度技术基础上使社会主义生产不断增长和不断完善的办法，来保证最大限度地满足整个社会经常增长的物质和文化的需要……

《苏联社会主义经济问题》和《政治经济学教科书》，突破了过去认为社会主义就要消灭商品生产、取消货币的传统想法，阐述了社会主义政治经济学的一系列基本原理。但是其中有些问题仍需进一步探讨，如社会主义社会生产资料不能成为商品的问题。

四、中国传统社会主义政治经济学

最初的社会主义经济理论直接来源于马克思、恩格斯关于未来社会的设想，我们可以将这些设想称为“理想社会主义”。这种“理想社会主义”是以在生产力高度发展基础上欧美等资本主义国家同时取得社会主义胜利为前提的。“理想社会主义”在经济上的特征可概括为:生产资料的单一全民所有制,劳动者直接按劳分配,没有商品、货币,实行计划经济等等。然而,由于社会主义并没有在高度发达的资本主义国家同时建立,而是在资本主义链条上比较薄弱的环节俄国首先取得胜利。在十月革命的影响下,从时代上来说属于半殖民地半封建社会的中国也通过采取农村包围城市的道路取得了胜利,并通过三大改造建立了社会主义经济制度。这种“现实社会主义”是以“理想社会主义”为指导,结合各国具体实际建立、建设的社会主义。“现实社会主义”由于不是按照马克思、恩格斯设想的在高度发达的资本主义国家同时建立起社会主义制度的,再加上各国实际的不同,因此具有不同于“理想社会主义”的特征。社会主义政治经济学本来应该是研究社会主义经济关系和经济运动规律的科学。由于社会主义经济制度作为一种崭新的社会经济制度诞生的时间还不长,而且现实社会主义是在马克思、恩格斯理想社会主义理论指导下,各国根据不同情况建立、建设的社会主义,它与马克思、恩格斯设想的理想社会主义有很大不同。社会主义发展的不成熟性以及发展过程所经历的挫折,使我们在新中国成立时还不具备从研究各个社会主义国家的经济活动中概括出社会主义经济一般的运动规律,也就是说还不具备建立符合所有社会主义国家的政治经济学。因此,我国传统的社会主义政治经济学是以当时我国经济关系和经济运行规律为研究对象的,明显具有中国特色。

新中国成立后，我国一开始从苏联引进《苏联社会主义经济问题》和《政治经济学教科书》，同时大批专家也来到我国，在中国人民大学等高校教授政治经济学。毛泽东多次要求我们的党员干部要重视学习研究政治经济学，甚至要求身边的工作人员也要学习研究政治经济学。毛泽东本人对苏联的《政治经济学教科书》进行了反复阅读，深入研究，作了大量详尽的批注，批注中有肯定，同时也有批评，指出了其存在的缺点甚至错误。其中一些真知灼见和不懈探索，为我国传统社会主义政治经济学的创立和发展打下了坚实基础。

以毛泽东同志为核心的中国共产党人带领全国人民为建立社会主义经济制度，从1949年新中国成立到1956年底完成了对农业、手工业和资本主义工商业的社会主义改造，建立了社会主义全民所有制和集体所有制的公有制经济以及按劳分配制度，初步建立了社会主义基本经济制度。在毛泽东时代的社会主义经济建设时期，提出了一些至今看来仍有价值的经济理论：如以农业为基础，工业为主导，农、轻、重协调发展；充分发挥中央与地方两个积极性；统筹兼顾、适当安排，注意综合平衡；建设独立的比较完整的工业体系和国民经济体系，全面实现“四个现代化”；农村的“三级所有，队为基础”；处理好国家、集体和个人三者物质利益关系；独立自主、自力更生为主，争取外援发展对外关系为辅；等等。这些经济理论，是对马克思主义政治经济学的创造性发展。但正如毛泽东同志在1959年底学习苏联《政治经济学教科书》时所说：现在要写一本成熟的政治经济学教科书，还受到社会实践的一定限制。

实际上，在新中国成立初期，受到苏联模式的影响，生产资料的公有制、计划经济、按劳分配等都基本上被继承下来，但也有所发展，如我国在生产资料所有制的形式和按劳分配的具体方式上与马克思、恩格斯的设想有所不同。从实践上看，虽然由于实行高度集中统一的计划经济体制，我们经历了严重挫折，但其历史功绩也不能抹杀。正是依靠这一高度集中统一的计划经济体制，苏联和我国才能在较短的时间里，建立了独立的比较完整的工业体系和国民经济体系，实行了按劳分配，消灭了剥削制度，保证了人民的物质生活和文化生活水平不断改善。所以，我们千万不要陷入历史虚无主义的泥潭，把传统社会主义经济理论排斥在社会主义经济理论的历史谱系之外。

当然，传统的社会主义政治经济学也有教条化地理解马克思、恩格斯、列宁等经典理论的问题。恩格斯强调："我们对未来非资本主义社会区别于现代社会的特征的看法，是从历史事实和发展过程中得出的确切结论；不结合这些事实和过程去加以阐明，就没有任何理论价值和实际价值。"①他还指出，"所谓'社会主义社会'不是一种一成不变的东西，而应当和任何其他社会制度一样，把它看成是经常变化和改革的社会"②。所以，社会主义政治经济学的创新依赖于把马克思主义政治经济学基本原理同各国国情相结合，并总结凝练出符合实际的理论。

①《马克思恩格斯选集》第4卷，北京：人民出版社2012年，第582页。

②《马克思恩格斯选集》第4卷，北京：人民出版社2012年，第601页。

五、中国特色社会主义政治经济学

改革开放以来，在邓小平理论的指导下，我国提出了建设中国特色社会主义。马克思主义政治经济学基本理论与中国具体实际相结合形成了中国特色社会主义政治经济学。而如何处理计划与市场的关系问题是过去一个世纪里社会主义经济理论与实践发展中的核心问题。

改革开放前我国是高度集中统一的计划经济管理体制。1978—1984年我们实行“计划经济为主，市场调节为辅”的经济体制，要求“在我们的整个国民经济中，以计划经济为主，同时充分重视市场调节的辅助作用”。1982年党的十二大报告确立了“计划经济为主，市场调节为辅”的提法。这一思想是1979—1984年间中国经济体制改革的指导思想。它与原来把社会主义经济等同于完全的指令性计划经济观念相比，无疑是历史性飞跃。1984年10月，党的十二届三中全会通过了纲领性文件《中共中央关于经济体制改革的决定》。这个决定对我国经济体制改革作出了全面部署。邓小平同志给予很高的评价，认为《中共中央关于经济体制改革的决定》“是写出了一个政治经济学的初稿，是马克思主义基本原理和中国社会主义实践相结合的政治经济学”[①]。它第一次明确提出“社会主义经济是公有制基础上有计划的商品经济”。这与党的十二大“为主为辅”的提法相比前进了一大步，开始强调商品经济。1987年10月党的十三大提出了社会主义要建立有计划

①《邓小平文选》第3卷，北京：人民出版社，1993年，第83页。

的商品经济体制。社会主义有计划的商品经济体制，计划与市场的作用都是覆盖全社会的，不是板块式的结合，而应该是内在统一的、有机的结合，并提出了“国家调控市场，市场引导企业”的经济运行机制。1992年10月，根据邓小平同志的南方谈话精神，党的十四大提出了建立社会主义市场经济体制的目标，认为社会主义市场经济就是要使市场在社会主义国家宏观调控下对资源的配置起基础性作用。

改革开放40多年来，随着中国特色社会主义实践的不断丰富和发展，推动中国特色社会主义政治经济学不断发展，新的理论成果也不断出现：关于社会主义初级阶段理论；关于社会主义本质的理论；关于社会主义按劳分配为主，多种分配方式并存的理论；关于实行“三步走战略”理论；关于社会主义市场经济理论；关于建立现代企业制度及国有企业股份制改造的理论；关于科学发展观理论；关于建立创新型国家的理论；关于全面建设小康社会理论；关于经济全球化理论；等等。这些理论成果，不仅是实践的结果，而且也有力指导了我国经济改革开放发展实践。

知识链接

★《中共中央关于经济体制改革的决定》★

中国共产党第十二届中央委员会第三次全体会议于1984年10月20日通过了《中共中央关于经济体制改革的决定》。中国共产党第十二届中央委员会第三次全体会议，分析了我国当前的经济和政治形势，总结了我国社会主义建设正反两方面的经验，特别是几年来城乡经济体制改革的经验，一致认为：必须按照把马克思主义基本原理同中国实际结合起来，建设有中国特色的社会主义的总要求，进一步贯彻执行对内搞活经济、对外实行开放的方针，加快以城市为重点的整个经济体制改革的步伐，以利于更好地开创社会主义现代化建设的新局面。

决定提出了改革是当前我国形势发展的迫切需要；改革是为了建立充满生机的社会主义经济体制；增强企业活力是经济体制改革的中心环节；建立自觉运用价值规律的计划体制；建立合理的价格体系；实行政企职责分开；建立多种形式的经济责任制；积极发展多种经济形式；造就一支社会主义经济管理干部的宏大队伍；加强党的领导，保证改革的顺利进行等改革举措。

六、习近平新时代中国特色社会主义经济思想

党的十八大以来，中国特色社会主义进入了新时代。以习近平同志为核心的党中央不断深化对社会主义经济发展规律的认识，深化对当代资本主义内在矛盾及其发展趋势的认识，深化对人类社会发展规律和社会历史发展必然趋势的认识，总结中国特色社会主义建设新经验，分析我国经济社会发展在新阶段面临的新情况新问题，正式提出要构建中国特色社会主义政治经济学，实现马克思主义政治经济学的创新发展，在实践中形成了以新发展理念为主要内容的习近平新时代中国特色社会主义经济思想。这一经济思想开拓了马克思主义政治经济学的新境界，把中国特色社会主义政治经济学发展到了一个新高度，主要内容包括以下13个方面。

1. 坚持社会主义初级阶段理论，坚持社会主义基本经济

制度。

我国虽然已是世界第二大经济体，但我国将长期处于社会主义初级阶段，这是由我国国情所决定的。在初级阶段，以公有制为主体、多种所有制经济共同发展，按劳分配为主体，多种分配方式并存，社会主义市场经济制度等是中国特色社会主义基本经济制度。

2. 坚持加强党对经济工作的集中统一领导，完善党中央领导经济工作的体制机制，保证我国经济沿着正确方向发展。

面对新形势新任务，做好经济工作，必须坚持加强党对经济工作的集中统一领导，这是实现经济社会持续健康发展的根本政治保证。习近平总书记指出，“中国特色社会主义最本质的特征是中国共产党领导，中国特色社会主义制度的最大优势是中国共产党领导”①。只有我们党充分发挥总揽全局、协调各方的领导核心作用，才能让中国经济这艘大船行稳致远。

3. 树立新发展理念，坚持以人民为中心的发展思想。

社会主义的根本任务是解放和发展生产力，这也是社会主义本质的要求，是巩固社会主义制度的需要。发展是硬道理，发展是解决中国一切问题的关键。而要发展就必须贯彻“创新、协调、绿色、开放、共享”的新发展理念。新发展理念集中反映了我们党对我国经济社会发展规律认识的全面和深化，是习近平新时代中国特色社会主义经济思想的主要内容。发展为了人民，这是马克思主义政治经济学的根本立场和出发点，习近平总书记强调指出：“要坚持以人民为中心的

---

① 习近平：《决胜全面建成小康社会　夺取新时代中国特色社会主义伟大胜利》，北京：人民出版社，2017年，第20页。

发展思想，这是马克思主义政治经济学的根本立场。要坚持把增进人民福祉、促进人的全面发展、朝着共同富裕方向稳步前进作为经济发展的出发点和落脚点。”①同时要坚持把以人民为中心的发展思想，贯穿到我们党的中心工作中，贯穿到统筹推进“五位一体”总体布局和协调推进“四个全面”战略布局之中。

知识链接 ……………………………………………………

★ 新发展理念 ★

2015年10月，习近平在关于《中共中央关于制定国民经济和社会发展第十三个五年规划的建议》的说明中指出：发展理念是发展行动的先导，是管全局、管根本、管方向、管长远的东西，是发展思路、发展方向、发展着力点的集中体现。

2015年10月29日，习近平在党的十八届五中全会第二次全体会议上的讲话鲜明提出了创新、协调、绿色、开放、共享的发展理念。创新发展注重的是解决发展动力问题；协调发展注重的是解决发展不平衡问题；绿色发展注重的是解决人与自然和谐问题；开放发展注重的是解决发展内外联动问题；共享发展注重的是解决社会公平正义问题。创新、协调、绿色、开放、共享的发展理念，是管全局、管根本、管长远的导向，具有战略性、纲领性、引领性。

4. 坚持适应把握引领经济发展新常态。

经济发展新常态，是党的十八大以来习近平总书记对近

① 《坚持共享发展（深入学习贯彻习近平同志系列重要讲话精神）》，《人民日报》2015年12月24日。

年来我国经济发展新趋势作出的重大判断。这一重大判断，高度概括了新阶段我国经济发展深刻的趋势性特征，为我国新时期的经济发展提供了根本战略指导，是当代中国特色社会主义政治经济学的重要成果。新常态下，我国经济发展呈现出速度从高速转向中高速增长的变化，经济结构调整从增量扩能为主转向调整存量、做优增量并举的优化，发展动力从主要依靠资源和低成本劳动力等要素投入转向创新驱动转换三大新特征。

5. 明确了新时代中国特色社会主义的历史使命、总任务和战略步骤。

党的十九大明确了新时代中国特色社会主义的历史使命是实现中华民族伟大复兴。我们的总任务是到本世纪中叶建成社会主义现代化强国。战略步骤是从党的十九大后到二〇二〇年，是全面建成小康社会决胜期。从二〇二〇年到本世纪中叶分两个阶段进行，第一个阶段：在全面建成小康社会的基础上，从二〇二〇年到二〇三五年，努力奋斗十五年，基本实现社会主义现代化；第二个阶段：在基本实现现代化的基础上，从二〇三五年到本世纪中叶，再经过十五年的奋斗，把我国建成富强民主文明和谐美丽的社会主义现代化强国。

6. 正确处理政府与市场的关系，完善社会主义市场经济体制，建立现代经济体系。

我国经过长期探索，提出了要由集中的计划经济管理体制转变为社会主义市场经济体制，按市场经济运行的一般规律办事。正确处理政府与市场的关系，使市场在资源配置中起决定性作用和更好发挥政府作用。适应现代经济需要，跨越关口，建设现代化经济体系要做到以下几点：必须坚持质量第一、效益优先，以供给侧结构性改革为主线，这是建设现代化经济体系的战略措施；必须加快建设实体经济、科技创新、现代金融、人力资源协同发展的产业体系，建设创新型国家，这是建设现代化经济体系的战略支撑；必须构建市场机制有效、微观主体有活力、宏观调控有度的经济体制，这是建设现代化经济体系的重要基础；要实施区域协调发展战略，这是建设现代化经济体系的内在要求；要加快完善社会主义市场经济体制，建立符合市场经济要求的各项制度，这是建设现代化经济体系的制度保障；同时，要推动形成全面开放新格局，这是建设现代化经济体系的必要条件。

7. 适应社会主要矛盾的转化，完善宏观调控。

党的十九大根据我国社会生产和社会需求发生了新的变化，指出“中国特色社会主义进入新时代，我国社会主要矛盾已经转化为人民日益增长的美好生活需要和不平衡不充分的发展之间的矛盾”[①]。这一重大政治判断要求我们要适应变化了的主要矛盾来完善宏观调控，把推进供给侧结构性改革作为经济工作的主线，推动经济发展质量变革、效率变革、动力变革，为保持我国经济持续健康发展开出治本良药。

8. 深化国有企业改革，发展农村经济，塑造中国特色社会主义市场主体。

市场主体主要包括国家、企业和城乡居民。塑造中国特色社会主义市场主体目前的关键是深化国有企业改革和发展

① 习近平：《决胜全面建成小康社会　夺取新时代中国特色社会主义伟大胜利》，北京：人民出版社，2017年，第11页。

农村经济，使国有企业真正成为自主经营、自负盈亏、自我发展、自我约束的市场竞争的市场主体，使农村经济适应市场经济的发展，表现出生机活力。深化国有企业改革，主要是通过发展混合所有制经济，培育形成具有全球竞争力的世界一流企业。发展农村经济主要是实施乡村振兴战略。要按照产业兴旺、乡风文明、生态宜居、治理有效、生活富裕的总要求，加快推进农业农村现代化。

9. 加快要素价格市场化改革，完善中国特色社会主义市场体系。

加快完善现代市场体系，建设统一、开放、竞争、有序的市场体系，这是市场配置资源的基础。为此，要全面实施市场准入负面清单制度，支持民营企业发展，激发各类市场主体活力，形成企业自主经营、自负盈亏、公平竞争，消费者自由选择、自主消费，商品和生产要素能够平等交换、自由流动的市场环境；深化商事制度改革，打破行政性垄断，防止市场垄断，清除市场壁垒，提高资源配置效率和公平性；加快要素价格市场化，放宽服务业准入，完善市场监管。

10. 建立中国特色社会主义分配制度和社会保障制度。

中国特色的社会主义坚持以按劳分配为主体、多种分配方式并存，生产要素按贡献参与分配的制度。在社会保障制度上，坚持个人账户和社会统筹相结合，整合城乡居民的基本养老保险制度；坚持基本医疗保险制度，实行城乡最低生活保障制度统筹发展；等等。

11. 坚持问题导向部署经济发展新战略，推动形成全面开放新格局。

开放带来进步，封闭必然落后。坚持问题导向部署经济发展新战略，推进“一带一路”建设战略、京津冀协同发展战略、长江经济带发展战略、大湾区建设战略、全面建设海南自由贸易区战略等，这些战略的实施将对我国经济社会发展变革产生深远的影响。遵循共建、共商、共享原则，形成陆海内外联动、东西双向互济的开放格局。

12. 坚持稳中求进工作总基调。

坚持底线思维，把握宏观调控的时、度、效。宏观调控的主要任务是:保持经济增长、总量平衡，稳定物价，经济结构优化，实现充分就业以及实现公平分配，防范区域性、系统性风险。

13. 引领经济全球化，推动构建人类命运共同体。

经济全球化是生产力发展的客观要求。我们要适应和引导好经济全球化，让它更好惠及每个国家、每个民族。要顺应大势、结合国情，正确选择融入经济全球化的路径和节奏，讲求效率、注重公平，让不同国家、不同阶层、不同人群共享经济全球化的好处。习近平同志着眼于世界各国相互联系、全球命运休戚与共的发展大势，顺应和平、发展、合作、共赢的时代潮流，高瞻远瞩地提出构建人类命运共同体的重要思想，为促进世界和平与发展、解决人类社会共同面临的问题贡献中国智慧和中国方案。

知识链接

★ 人类命运共同体 ★

人类命运共同体，顾名思义，就是每个民族、每个国家的前途命运都紧紧联系在一起，应该风雨同舟，荣辱与共，努力把我们生于斯、长于斯的这个星球建成一个和睦的大家庭，把世界各国人民对美好生活的向往变成现实。

人类命运共同体是习近平总书记顺应时代前进潮流提出来关于人类社会的新理念。2012年11月，党的十八大明确提出要倡导"人类命运共同体"意识。习近平就任总书记后首次会见外国人士就表示，国际社会日益成为一个你中有我、我中有你的"命运共同体"，面对世界经济的复杂形势和全球性问题，任何国家都不可能独善其身。2015年9月，习近平在纽约联合国总部发表重要讲话指出："当今世界，各国相互依存、休戚与共。我们要继承和弘扬联合国宪章的宗旨和原则，构建以合作共赢为核心的新型国际关系，打造人类命运共同体。"[①]2017年10月18日，习近平同志在十九大报告中提出，坚持和平发展道路，推动构建人类命运共同体。

当今世界面临着百年未有之大变局，政治多极化、经济全球化、文化多样化和社会信息化潮流不可逆转，各国间的联系和依存日益加深，但也面临诸多共同挑战。粮食安全、资源短缺、气候变化、网络攻击、人口爆炸、环境污染、疾病流行、跨国犯罪等全球非传统安全问题层出不穷，对国际秩序和人类生存都构成了严峻挑战。不论人们身处何国、信仰如何、是否愿意，实际上已经处在一个命运共同体中。

习近平总书记指出："没有哪个国家能够独自应对人类面临的各种挑战，也没有哪个国家能够退回到自我封闭的孤岛。"[②]世界各国要顺应时代发展潮流，作出正确选择，齐心协力应对挑战，开展全

① 习近平：《携手构建合作共赢新伙伴　同心打造人类命运共同体》，《人民日报》2015年9月29日。

② 习近平：《决胜全面建成小康社会　夺取新时代中国特色社会主义伟大胜利》，北京：人民出版社，2017年，第59页。

球性协作，构建人类命运共同体。

构建人类命运共同体这一倡议已被多次写入联合国文件，正在从理念转化为行动，产生日益广泛而深远的国际影响，成为中国引领时代潮流和人类文明进步方向的鲜明旗帜。

总之，历史上任何一个创造奇迹的国家都形成过自己的经济理论。习近平新时代中国特色社会主义经济思想，是党的十八大以来我国经济发展实践的理论结晶，是对马克思主义政治经济学的继承和发展，是中国特色社会主义政治经济学的最新成果，是当代的马克思主义政治经济学，是党和国家十分宝贵的精神财富。它坚持了社会主义的本质及基本特征；体现了发展社会主义市场经济，深化改革开放，积极参与经济全球化，以及改革、发展、稳定三者统一等原则；它吸纳了经济发展新常态、发展新理念、以人民为中心的发展思想、供给侧结构性改革、关于市场与政府关系的新论断、构建人类社会命运共同体等新理念；它融进了党的十九大报告作出的中国特色社会主义进入新时代以及新时代我国社会主要矛盾新变化，明确了新时代中国共产党新的历史使命和决胜全面建成小康社会、开启全面建设社会主义现代化国家新征程的目标以及对新时代推进中国特色社会主义伟大事业和党的建设新的伟大工程作出的全面部署，从而形成了科学完整的理论体系。

延伸阅读

1. 列宁：《帝国主义是资本主义的最高阶段》，北京：人民出版社,2014年。

2. 习近平:《论坚持推动构建人类命运共同体》,北京:中央文献出版社,2018年。

3. 中共中央宣传部编:《习近平新时代中国特色社会主义思想学习纲要》,北京:学习出版社、人民出版社,2019年。

深度思考

1. 试述马克思主义政治经济学的发展历程。

2. 为什么说计划与市场的关系问题是中国特色社会主义政治经济学的核心问题?

3. 试述习近平新时代中国特色社会主义经济思想的主要内容。

后 记

学习《资本论》，主要是通过系统学习来掌握马克思主义的基本立场、观点和方法，树立共产主义远大理想这一目的，从而更好地服务于中国特色社会主义建设。

学习《资本论》，要按照马克思写作的原样去阅读、理解。学习《资本论》，可以让我们更加全面准确地理解马克思主义。恩格斯一贯强调按照作者写作的原样去阅读著作。恩格斯在1884年8月13日写给格奥尔格·亨利希·福尔马尔的信中写道："研究原著本身，不会让一些简述读物和别的第二手资料引入迷途。"①1894年10月4日，恩格斯在为《资本论》第三卷写的序言中也写道："但是一个人如果想研究科学问题，首先要学会按照作者写作的原样去阅读自己要加以利用的著作，并且首先不要读出原著中没有的东西。"②对于一个合格的马克思主义者来说，最重要的就是阅读原著本身。决不能只满足于背诵几段马列经典语录，或者满足于阅读一些教科书中的二手材料。

学习《资本论》，要反对教条主义，掌握马克思主义立场、观点和方法。马克思的整个世界观不是教义而是方法。马克思主义在中国实现大众化的百年过程之中，教条主义总阴魂

---

① 辛鸣：《从马克思主义经典中汲取思想力量》，《人民日报》2011年6月1日。

② 《马克思恩格斯文集》第7卷，北京：人民出版社，2009年，第26页。

不散，阻碍了马克思主义同中国现实相结合，割裂了马克思主义同群众之间的密切联系，破坏了马克思主义实现大众化的政治保障和组织保证，危害深重。马克思主义在中国实现大众化的过程，是一个不断冲破教条主义障碍，进而同中国国情紧密结合的过程，也是一个不断解放思想、推陈出新、锐意进取的过程。在百年的马克思主义中国化和大众化的过程中，既形成了合乎实际的指导思想，不断地指引着中国道路的前进，又提升了中国国民的思想境界，不断地解放人们的思想。2010年3月1日，习近平同志在中共中央党校春季学期开学典礼上作了《努力学习和掌握马克思主义立场观点方法》的重要讲话，认为学习和掌握马克思主义立场观点方法是深入学习中国特色社会主义理论体系、提高思想理论水平的根本要求。

学习《资本论》，要有科学的态度。要完整准确地学习和掌握《资本论》的基本原理，就要有对待《资本论》的正确态度。现在对待马克思《资本论》大体上有以下几种不正确的态度：把本来不是马克思的东西强加给马克思。如《资本论》第一卷第七篇中论证了无产阶级贫困的理论，但《资本论》中从来没有论证过什么绝对贫困化规律和相对贫困化规律，甚至没有这两个范畴。但由于受20世纪50年代苏联政治经济学教科书的影响，一些教科书中把所谓绝对贫困化规律和相对贫困化规律说成是马克思的，对此，应正本清源，纠正对《资本论》某些原理的曲解和误解，而不是长期以讹传讹地沿用下来。如一般经济学读物中，常有这样的提法：商品的二重性是使用价值和价值。其实，商品的两个因素是实用价值和价值，商品的二重性是使用价值和交换价值。再比如流动资本和固定资本的划分只能限于生产资本，流通资本不能划分为固定资本和流动资本。不能将《资本论》中对社会主义经济的一些不符合社会主义实际的预测抱住不放。如社会主义，马克思认为不存在商品生产和货币发展关系，这与《资本论》中的某些提法有明显出入；再比如，第一卷第三章关于货币流通规律的公式和第二卷某些数字的计算也有出入。为此，我们对待马克思的《资本论》，要有科学的实事求是的态度。习近平同志在出席中央党校的一次开学典礼的时候曾经指出，作为党的领导干部，首先要学习经典，其次要精读经典，最后则要领悟经典，这就是对待《资本论》应有的科学态度。对此，首先，要从观念上信仰马克思主义。但同时，这种信仰是“我知道我相信”的理性信仰，是建立在前人和自己的研究基础之上的，不是非理性的盲目迷信。盲目迷信就可能把马克思主义教条化，是与坚持马克思主义背道而驰的。同时，要学会思考，把学习经典的落脚点始终放在解决当前面临的重大现实问题上。

学习《资本论》，要下苦功夫。习近平总书记告诫我们，学习和研究经典必须专心致志地读、原原本本地读、反反复复地读，浮光掠影不行，浅尝辄止不行，要通过细嚼慢咽去感悟马克思主义经典著作历久弥新的思想价值。他说：“对马克思主义要真学真懂，真信真用。年轻的同志，有的过去没有读过经典的，要补上这一课。”[①]应以学功课的方式、对待教科书的态度，下苦功夫研读马列经典。一是反复多次阅读、温习；二是

① 周文彰：《读一点马列经典》，《学习时报》2011年1月10日。

“不动笔墨不读书”,要勤于做笔记、做批注、写感想;三是推荐倡导集体学习,组成学习《资本论》小组,集体交流学习心得体会,共同进步;四是边阅读,边思考,带着问题阅读学习《资本论》;五是突出重点,精选精学;六是下苦功夫、笨功夫,我们在学习时不能走马观花、一目十行,要全身心投入。只有这样,才能达到学习的真正目的。

最后,需要说明的是:在本书的写作过程中,我们得到了中央党史和文献研究院的领导和相关部门的关心和支持,红旗出版社也对本书的出版给予了热情帮助。同时,我们参考并借鉴了相关教材和论著的研究成果,在此深表谢意。当然,由于作者水平有限,本书仍存在许多不完善、不严密之处,疏漏、错误在所难免,欢迎广大读者批评指正。

崔友平

2019年10月于北京